Quando tudo volta

John Corey Whaley

Quando tudo volta

Tradução
Carolina Caires Coelho

Novo Conceito

Título original: *Where things come back*

Publicado sob acordo com Simon Pulse,
um selo de Simon & Schuster Children´s Publishing division

Esta é uma obra de ficção. Nomes, personagens, lugares e acontecimentos descritos são produto da imaginação do autor. Qualquer semelhança com nomes, datas e acontecimentos reais é mera coincidência.

1ª Impressão — 2014

Produção editorial:
Equipe Novo Conceito
Impressão e Acabamento RR Donnelley 150114

Este livro segue as regras da Nova Ortografia da Língua Portuguesa.

Dados Internacionais de Catalogação na Publicação (CIP)
(Câmara Brasileira do Livro, SP, Brasil)

Whaley, John Corey
Quando tudo volta / John Corey Whaley ; tradução Carolina Caires Coelho. -- Ribeirão Preto, SP : Novo Conceito Editora, 2014.

Título original: Where things come back.
ISBN 978-85-8163-384-8

1. Ficção norte-americana I. Título.

13-13834 CDD-813

Índices para catálogo sistemático:
1. Ficção : Literatura norte-americana 813

Novo Conceito

Rua Dr. Hugo Fortes, 1885 — Parque Industrial Lagoinha
14095-260 — Ribeirão Preto — SP
www.grupoeditorialnovoconceito.com.br

Para ANITA COOPER,
professora e amiga.

SUMÁRIO

Capítulo 1

NEM TODO o idealismo DO MUNDO poderia acabar com essa SENSAÇÃO

Eu tinha dezessete anos quando vi o primeiro cadáver. Não era de meu primo Oslo. Era de uma mulher que aparentava ter cinquenta anos ou, pelo menos, quase isso. Não dava para ver furos de bala nem arranhões, cortes ou hematomas, então acreditei que ela tivesse acabado de morrer por causa de alguma doença ou algo assim. Seu corpo estava um pouco escondido pelo lençol branco e fino enquanto esperava para ser colocado na gaveta. O segundo cadáver que vi na vida *era* de meu primo Oslo. Reconheci seus sapatos marrons e sujos assim que a mulher que usava um jaleco bem branco segurou a alça metálica e fez força para deslizar o corpo da parede prateada.

— É ele — eu disse a ela.

— Tem certeza?

— Absoluta.

Os olhos dele estavam fechados. Os lábios, roxos. Em suas mãos havia hematomas e marcas. Não havia nada escondido, já que ele tinha morrido vestindo uma camiseta regata branca, uma daquelas que vestira quase todos os dias de sua vida. Havia algo esbranquiçado nos cantos de sua boca, mas não perguntei o que poderia ser. Não falei muita coisa depois disso. A mulher esperou que eu chorasse ou dissesse "Pronto", ou algo do tipo. Mas não fiz nada. Só fiquei olhando para ele. E também não sei se estava pensando em alguma coisa naquele momento. Não estava pensando que sentiria sua falta, que sentia pena dele e nem mesmo que estava com raiva dele. Só fiquei ali de pé como um bobo, lábios entreabertos e olhos grudados em um ponto. Por fim, a mulher de jaleco branco quebrou o silêncio.

— Você precisa de mais tempo? — perguntou ela.

— Não, obrigado. Já basta.

Minha mãe chorou por todo o trajeto até nossa casa. Meu irmão mais novo, Gabriel, estava inquieto, mas manteve os fones nos ouvidos e não disse muita coisa durante a viagem. Dirigi, mas não queria, porque pensei que iria chover. Detesto dirigir na chuva. Queria que meu pai tivesse nos acompanhado para que eu não precisasse bancar o homem a noite toda, dirigindo sem parar e cuidando para que todos comessem e tudo mais. Não me incomodei muito por precisar identificar o corpo. Essa parte teria que acontecer, de um jeito ou de outro. Oslo vinha usando drogas injetáveis desde quando eu conseguia me lembrar. E também, muitas vezes, era um problema para mim. Eu tinha de buscá-lo em paradas de caminhão ou pontos de drogas. Mentia à mãe dele para encobrir seu comportamento idiota e livrá-lo de brigas. Emprestava dez dólares a ele de vez em quando, torcendo para que comprasse comida com o dinheiro, mas sabendo que provavelmente ele não compraria. Fiz de tudo. Nós fizemos de tudo. Eu. Meu pai. Até minha tia Júlia dava dinheiro a ele, desde que aparecesse todos os dias ou a cada dois dias, tempo suficiente para que ela se esquecesse de que havia fracassado em criá-lo direito, tempo suficiente para fazer com que ela voltasse a amá-lo.

Meu pai não pôde ir porque recebeu um telefonema aproximadamente às cinco e meia daquela tarde para levar uns equipamentos de poço a Harrison. É o que ele faz. Transporta coisas sobre as quais nada sei e nem quero saber. Só sei que alguém precisa de grandes peças de metal que têm a ver com bombeamento de petróleo o mais depressa possível quando telefona para ele. Então, ele parte a qualquer momento do dia ou da noite. Às vezes fica em casa sem fazer nada durante dias, lendo o jornal ou livros sobre pessoas mortas (porque, pelo visto, homens de quarenta e poucos anos só se interessam em ler coisas sobre a vida de presidentes, exploradores ou criminosos). Às vezes passamos duas semanas sem vê-lo, e só ouvimos seus barulhos trocando de trailer no quintal às três da madrugada ou deixando mensagens na secretária eletrônica para lembrar minha mãe de comprar um remédio ou pagar a hipoteca.

Quando voltamos de Little Rock, meu pai já havia partido, e a luz da cozinha era a única coisa que conseguimos ver da rua. Gabriel tinha adormecido cerca de vinte minutos antes, e minha mãe não demoraria muito a acompanhá-lo. Ela se inclinou para a frente e beijou a lateral de minha cabeça antes de sair do carro e caminhou em direção a casa. Abrindo a porta de trás, dei um chute na sola do sapato de Gabriel. Ele se endireitou depressa e levantou os braços como se alguém estivesse prestes a cortar-lhe a garganta. Olhei para ele como se olha para uma pessoa quando esperamos que ela recobre os sentidos — com um misto de frustração e pena — e então o ajudei a ficar de pé. Eu o segui até a casa, e minha mãe já estava no quarto dele, chorando de novo enquanto conversava com Tia Júlia, meio sonolenta. Em pouco tempo ouvimos mais uma voz chorosa, e Gabriel e eu ficamos sentados em minha cama escutando através da parede enquanto Tia Júlia tagarelava sem parar dizendo que queria morrer.

Gabriel adormeceu em poucos minutos, e as vozes do quarto ao lado já tinham quase silenciado. Se ainda estavam falando, tinham decidido sussurrar, talvez levando em consideração os dois adolescentes do quarto ao lado que precisariam se levantar e ir à escola no dia seguinte. Antes de me deitar, peguei meu diário de capa de couro que estava no criado-mudo e o abri na primeira página em branco que encontrei. Escrevi *Oslo depois da morte*. Seria um ótimo título para um livro, pensei. É o que faço, às vezes. Escrevo títulos para livros que um dia pretendo escrever. *Oslo depois da morte* era o título número 71.

Fechei o diário, apaguei o abajur e olhei para o meu irmão para ter certeza de que não o havia acordado. Ele ainda dormia, com um sorriso incrivelmente sincero no rosto. Gabriel costumava se desligar do mundo. Com hábitos assim, ele não olhava para a frente ao atravessar o corredor da escola. Quando se olha para a frente, é possível evitar um empurrão, uma trombada ou o ataque inconveniente de algum idiota que esteja ao lado do bebedouro esperando por alunos mais novos e com cara de inocente que estejam andando olhando para o chão. Meu problema era que eu não era grande nem valente o suficiente para proteger ou defender meu irmão mais novo de nenhuma maneira, exceto pelo uso inteligente que às vezes eu fazia do sarcasmo como distração. Lucas Cader, no entanto, conseguia afastar os babacas de sempre que gostavam de perturbar Gabriel e seus amigos. Acho que, de certo modo, Lucas acreditava ser parte de sua missão no mundo proteger aqueles meninos. Fico feliz por não ser a minha.

Veja, Lucas tinha poder. Atravessava o corredor e era notado. Todos percebiam o corpo grande de nadador e os cabelos castanhos e despenteados que sempre pareciam prontos para uma sessão de fotos. Notavam que ele sorria para as garotas bonitas, mas sempre dava um jeito de dizer algo gentil ou doce para as não tão belas. Lucas era o único garoto, além de Gabriel, perto de quem eu conseguia ficar, simplesmente porque eu não gostava muito de rapazes. Gostava de garotas e mulheres, mas os garotos me irritavam, na maior parte do tempo.

Tudo vira competição com a maioria deles. Com Lucas, eu podia ser o cara retraído que sou e não me sentir ameaçado. E Gabriel podia atravessar o corredor sem correr o risco de sua mochila ser arremessada na lata de lixo. E Elizabeth Strawn podia se sentir bem consigo durante, talvez, a única vez em que estava com uma espinha enorme no rosto.

Por ter 17 anos e viver entediado em uma cidade pequena, gosto de fingir, às vezes, que estou pessimista. *As coisas são como são e nada pode me tirar disso. A vida é horrível na maior parte do tempo. Tudo é uma droga. A escola é péssima. Você vai para a escola, trabalha por cinquenta anos e, então, morre.* Mas não consigo manter isso por muito tempo, porque meu desejo natural de idealizar entra em cena. Não consigo ser pessimista por tempo suficiente para ignorar a possibilidade de as coisas serem extremamente boas. Porém, deitado na cama aquela noite, com meu irmão dormindo ao meu lado, não consegui criar nenhum tipo de idealismo. O telefonema às três daquela tarde. O percurso até Little Rock. E aí a notícia sobre a morte. Era tudo muito real. Não havia qualquer idealismo em ver seu único primo morto e pálido como um fantasma. Não há muito o que idealizar quando você sabe que sua tia está no quarto ao lado chorando em vez de dormir e nada pode ser feito.

Como a maioria dos adolescentes, eu, Cullen Witter, estava apaixonado por uma bela garota que tinha um namorado grande e valentão que poderia me bater assim que me visse. Ele se chamava Russell Quitman, e eu não ligava muito para o irmão dele nem para os pais. É que às vezes pego birra das pessoas por associá-las a outras. O nome da menina era Ada Taylor, e ela provavelmente poderia me bater também. (Se você ainda não percebeu, quase todo mundo poderia me dar uma surra.)

Se você vive em Lily, Arkansas, e todos nós vivíamos ali, então conhece Ada, ou pelo menos já ouviu falar dela. Tenho certeza de que até umas pessoas em Little Rock e Memphis já ouviram histórias a respeito da viúva negra de Lily.

Veja, Ada Taylor tinha uma história terrível. No segundo ano do ensino médio, quando eu estava no primeiro, ela namorava um idiota chamado Conner Bolton. Conner estava no último ano e fazia questão de aterrorizar todos os alunos do primeiro, que temiam ser pegos andando sozinhos ou perto dos banheiros, dos armários ou das latas de lixo. Mas, infelizmente, ele morreu antes do Natal, em um acidente de carro. Ada estava no carro. Ela saiu sem nenhum arranhão. E então, no ano seguinte, começou a namorar um cara normal, com quem eu costumava jogar videogame no chão do salão de beleza de minha mãe. O nome dele era Aaron Lancaster. Ele não durou nem até o Dia de Ação de Graças, pois morreu afogado no rio White durante uma tempestade. Seu pai encontrou o barco de pesca vazio. Um grupo de busca localizou o corpo dele quatro dias depois. Ouvi comentários de que o corpo parecia ter saído de um micro-ondas.

Depois disso, pareceu quase ridículo namorar Ada Taylor ou chegar perto dela. Entretanto, isso não importava muito para os jovens de Lily, nem mesmo para mim. A filosofia não declarada de todos os apaixonados por Ada era algo do tipo: se eu tiver que morrer para conquistá-la, que assim seja. Contudo, faltava apenas uma semana de aula, e Russell Quitman ainda aparecia a todo instante e ocupava todo o espaço extra da mesa do refeitório com seus bíceps monstruosos. Eu tinha apostado com Lucas que Russell não passaria da Páscoa. Isso me custou dez dólares. Você pode achar meio sádico apostar na morte de um rapaz de 18 anos ou falar sobre isso como se eu quisesse que acontecesse ou algo assim. Isso só seria prova de que você nunca viu Russell

Quitman. Certas pessoas são fadadas a ser aquelas que morrem em incêndios de grandes proporções ou se afogam na corredeira de um rio no meio da noite. Estas são os Russell Quitman do mundo.

O Dr. Webb diz que a maioria das pessoas vê o mundo em bolhas. Isso as mantém confortáveis em seus lugares e no lugar dos outros. O que ele quer dizer é que muitas pessoas, para se sentir bem consigo e em relação às outras, automaticamente dispõem todo mundo em pequenos grupos de estereótipos. É por isso que os garotos que não gostam de esportes ou não praticam sexo indiscriminado são chamados de gays, as pessoas que conseguem boas notas sem estudar são chamadas de nerds, e as pessoas que parecem não se preocupar com nada e têm pouco dinheiro sempre são chamadas de vagabundas. Por ser um aluno CDF e que detesta futebol americano, eu me encaixo em dois desses estereótipos. Isso me custou anotações em Post-its nos quais se lia "Cullen Witter é bicha" colados no meu armário e óculos de aros grandes desenhados nas minhas fotos escolares de todos os anos. O Dr. Webb também diz que a única maneira de lidar com a natureza limitada da maioria das pessoas nascidas no sul e com tendências conservadoras é ignorar por completo sua ignorância ou perpetuá-la usando os estereótipos criados inconscientemente por elas. Resumindo, se eu reclamasse por ser chamado de bicha, seria chamado assim com mais frequência. E, se Sara Burch tivesse ignorado os meninos do quinto ano que a chamavam de nerd, talvez não tivesse se tornado a vadia famosa que é hoje.

Mas algumas pessoas parecem imunes a essa epidemia de estereótipos. São gente como Gabriel Witter, que talvez seja a pessoa mais interessante que já conheci, e não digo isso apenas porque ele é meu irmão. Digo isso porque todas as manhãs, desde que completou 11 anos mais ou menos, ele acorda antes de todo mundo na casa, sai na varanda e lê um capítulo de um livro. Digo isso porque ele escutava bandas de que nunca ninguém ouviu falar. E já tinha uma coleção de quase cinquenta gravatas quando entrou no ensino fundamental 2, gravatas que ele usava para ir à escola todos os dias. Acho que o mais interessante a respeito de Gabriel é que ele não parecia se preocupar com o que as pessoas pensavam dele. Atravessava o corredor da escola com a cabeça baixa não porque queria evitar ser visto ou dissuadir predadores sociais, ou coisa do tipo, mas porque não via motivo para erguê-la. Demorei um tempo para conseguir andar pelo corredor com a cabeça erguida. Claro, andar ao lado ou atrás de Lucas sempre facilitou muito. Se tivesse que escolher entre olhar para Cullen Witter e olhar para Lucas Cader, qualquer pessoa escolheria olhar para Lucas.

Eu chamava Russell de Para Man por dois motivos. O primeiro era óbvio, pois Man era parte de seu sobrenome. Não há dúvida. Mas o outro motivo pelo qual eu o chamava assim estava muito mais ligado ao caráter dele. Era porque o que mais se ouvia quando Russell Quitman estava por perto eram os gritos da presa na qual ele estava dando uma gravata, ou segurando de cabeça para baixo, ou derrubando no corredor. "Para, Man! Para!" Como Russell Quitman, o Para Man, conseguia ser tão cruel, tão idiota e, ainda assim, namorar a menina mais bonita da cidade? A isso dou o nome de Belo Paradoxo. As garotas belas sempre querem caras que as tratam, e que tratam a maioria das pessoas, como um monte de lixo. Talvez este seja o fenômeno mais assustador da história.

Título de livro número 72: *Coisas boas que acontecem a pessoas ruins.*

Não sei bem por que algo como a existência do Para Man ou de garotas que gostavam dele me surpreendia em um lugar como Lily. Viver em Lily, Arkansas, às vezes é meio como viver na terra esquecida por

Deus. Temos coisas como o Burger King e o McDonald's, e temos até o Walmart, mas se você está procurando mais do que isso vai ter que seguir em frente. Como a maioria das cidades do Arkansas, Lily tem muito de uma coisa: árvores. Em Lily só há árvores e poeira e estradas sinuosas. Também tem água em Lily. O rio White corre pelos limites da cidade, percorre todo o Estado e vai até o Mississippi.

Se você nunca esteve em Lily, e aposto que nunca esteve, precisa saber que ela está localizada quase exatamente entre Little Rock e Memphis. Há 3.947 habitantes, de acordo com a placa verde desbotada no acostamento da estrada que leva para a cidade, e a maioria dos moradores é formada por idiotas que tentaram e não conseguiram sair daqui. Uma coisa diferente em Lily é que, para uma cidade pequena no meio do nada, parece ser um lugar muito limpo e bem-conservado. Lily é o tipo de lugar para onde você gostaria de se mudar por um tempo antes de morrer. Se, em qualquer outro momento da vida, você acreditar que precisa da calma e do silêncio de Lily, Arkansas, então precisa consultar um terapeuta ou permanecer aqui durante uma semana para tentar encontrar alguma coisa um pouco divertida para fazer.

Como tenho poucos recursos interiores, costumo ter dificuldade para lidar com o tédio que se sente vivendo em Lily. Meu irmão nunca parecia entediado, e isso só me irritava mais por perceber que eu me sentia, na maior parte do tempo, deslocado e insatisfeito em tudo o que fazia. Gabriel se sentia feliz lendo um livro, ouvindo música ou andando pela cidade com Libby Truett, seu melhor amigo. Bem, eu só consigo passar um tempo ouvindo música ou lendo um livro até começar a sentir minha mente vagar e imaginar Ada Taylor mergulhando do deque Tilman ou namorando o Para Man fora do Burke's Burger Box.

Naquele dia em particular, dois dias depois de minha ida ao necrotério, decidi telefonar para Lucas a fim de saber o que ele tinha planejado.

— Estou morrendo de tédio.

— Quer dar uma volta? — ele perguntou imediatamente.

— Você vai dirigir?

— Pego você em cinco minutos.

Se você precisasse criar um estereótipo para Lucas Cader, e talvez fosse uma das pessoas que teria que fazer tal coisa, ele se encaixaria perfeitamente no grupo dos mauricinhos e patricinhas. Saiba que eu detesto usar termos estereotípicos como esses, mas é inevitável. Era essa a forma que as pessoas do meu convívio usavam para descrever os alunos do ensino médio que se vestiam bem, tomavam banho com frequência, dirigiam um carro bacana (ou, em Lily, dirigiam um carro que não era o dos pais) ou faziam parte do time de futebol. Sinta-se à vontade para usar o termo que você usaria para se referir a esse grupo se estivesse no meu lugar. Lucas não tinha muito a ver comigo. Ele jogava futebol, para começo de conversa. Em segundo lugar, tinha uma namorada. O nome dela era Mena Prescott, e ela me fazia lembrar da ruiva de *Clube dos Cinco*. Ela também fazia com que eu me sentisse desconfortável porque sempre me abraçava e beijava meu rosto, sempre fazia algo que eu acreditava que ela pensava que eu consideraria lisonjeiro ou sensual, mas que, na verdade, achava irritante e ofensivo. Eu também detestava o sotaque dela. Sei que todo mundo que mora em outros lugares pode ter sotaque, principalmente quem mora no sul, mas, sinceramente, escutar a voz dela me dava vergonha de ser humano, ainda mais do sul.

Lucas fingia amá-la tanto quanto ela pensava que ele amava. Mas era tudo mentira, na verdade.

Quando ele estacionou na frente da minha casa, empurrei a porta de tela com um dedo e escutei a batida no batente quando ela se fechou. O cheiro de colônia dentro do carro de Lucas estava forte.

— Você tomou banho com essa porcaria? — perguntei, balançando a mão diante do rosto.

— Como está a sua tia?

Lucas fazia isso o tempo todo. Você fazia uma pergunta, séria ou não, e ele conseguia se livrar dela com destreza, tocando em um assunto muito importante que causava distração, algo repentino, e seus pensamentos anteriores acabavam ficando para trás, como a minha casa enquanto descíamos a rua Oito, em alta velocidade, em direção à cidade.

— Está um pouco melhor. Está comendo agora.

— E o Gabe?

— Me parece igual. — Pensei na minha resposta. Parecia errada, de certo modo.

— Sabe, ele é legal — disse Lucas.

— Eu gosto dele um pouco — respondi, brincando.

— Sabe, tem um monte de garotos aqui fazendo coisas ruins. Que se metem em apuros e são expulsos da escola, coisas do tipo. E temos Gabriel. Ele se destaca, sabe? Como se fosse melhor do que este lugar, algo assim. Entende o que estou dizendo?

— Sim — falei. Eu não entendia o que ele estava dizendo.

— Eu quase o considero meu irmão menor, às vezes — completou Lucas, de um jeito estranhamente sério.

— Quer comprá-lo por cinquenta paus?

Sempre dava para saber quando Lucas se perdia nos próprios pensamentos, como acontecia quando o assunto "irmãos" surgia. Seu olhar ficava mais intenso, como se estivesse se concentrando no que estivesse à frente dele. E ele apertava os lábios como se estivesse se preparando para assoviar. E só o que nos restava era esperar para ver o espetáculo, esperar para ver se algo brilhante ou catártico apareceria. Em geral, tudo terminava poucos minutos depois, quando Lucas se dava conta de que estava em uma situação estranha, fazendo as pessoas a seu redor se sentirem desconfortáveis. Lucas Cader não tinha o hábito de fazer as pessoas se sentirem mal, apenas confortadas.

Assim que paramos na frente do Burke's Burger Box, Mena Prescott correu até a janela do carro dele, inclinou-se para dentro e lhe deu um beijo no rosto. Então, deu a volta para o meu lado, bateu no vidro, esperou que eu o descesse e também me deu um beijo no rosto. Enquanto ela se ajeitava no banco de trás, limpei a saliva e o batom da minha cara.

— Você teve mesmo que ver o corpo dele, Cullen?

Ela começou a fazer perguntas antes que Lucas conseguisse subir o vidro e sair do estacionamento.

— Tive, sim — respondi, calmo.

Mena Prescott tinha um passado que não envolvia garotos inocentes e de boa índole como Lucas. Envolvia meu primo Oslo, morto de overdose. Vou resumir o relacionamento dos dois assim: eles se conheceram em uma festa quando ela era do primeiro ano e ele, do último. Deram uns amassos, os dois bêbados, e então se encontraram no mercado, uma semana depois. Passaram várias semanas em um namoro de idas e vindas, até Mena perceber, acredito eu, que Oslo Fouke não passava de um largado viciado em drogas. Aquele momento no carro seria a última vez que Mena Prescott mencionaria Oslo Fouke, pelo menos perto de mim.

Quando você está no banco do passageiro do carro de seu melhor amigo enquanto uma caipira exageradamente animada está no banco de trás reclamando por ter sido humilhada por uma líder de torcida na hora do almoço, sua mente começa a divagar e a pensar em zumbis. O problema dos zumbis é que eles têm que ser mortos. Você tem que fazer isso. Os seres humanos são obrigados a matar zumbis, assim como os zumbis têm a obrigação de caçar os seres humanos e comê-los. Foi por esse motivo que fiquei imaginando Russell Quitman e o amigo dele, Neil, como zumbis, causando estragos em Lily e matando homens, mulheres e crianças. Eles desciam a rua Principal, arrastando os pés, mancando. Uma mulher gritava da vitrine de uma loja. Um carro passava correndo e batia em uma árvore próxima. A cena foi horrível até *eu* chegar. Caminhando devagar e com muita confiança, eu me aproximei do Para Man e de seu amigo com uma arma em uma das mãos e um machado na outra. Depois de estourar a cabeça de Neil, joguei a arma para o lado e segurei o machado com as duas mãos. O Para Man veio para cima de mim — com os dentes bem à mostra e seu fedor me dando enjoo. Enfiei o machado na perna dele, e ele caiu no chão, segurando minha calça enquanto eu tentava me afastar para lhe aplicar um bom golpe. Tropecei, caindo ao lado dele. Quando seus dentes estavam prestes a morder a carne do meu pescoço, sua cabeça foi amassada por uma bota preta. Olhei para a frente e vi Lucas Cader sorrindo e com uma mão esticada para baixo. Muitas pessoas se reuniram ao nosso redor e gritaram. Os zumbis tinham sido derrotados. "Lucas! Lucas! Lucas!" Os sons nos cercaram quando eu me levantei e procurei meu irmão na multidão. Ele estava sentado, sozinho, na beira da calçada. Estava chorando. Lucas apoiou a mão em meu ombro e sussurrou em meu ouvido:

— Ele vai ficar bem. Vai ficar bem agora.

Título de livro número 73: *Você vai sentir uma picadinha.*

Capítulo 2 MENINOS misteriosos com PÁS

Quando Benton Sage descobriu que partiria naquele ano em uma missão de sua igreja, ficou animado e em pânico. Sentiu um frio na barriga enquanto estava ao lado das irmãs e do Reverendo Hughes, observou a igreja toda ao redor deles, uniu as mãos e começou a orar. A Etiópia, pensou, seria o primeiro lugar onde poderia de fato exercer sua fé. Era o medo de viajar, de deixar sua vida confortável em Atlanta, de flutuar misteriosamente a 30 mil pés de altura que deixava Benton, de 18 anos, com a sensação de que cairia no tapete macio e verde da igreja, quando escutou o coral começar a entoar améns e aleluias atrás dele.

— Nosso irmão, o jovem Benton Sage, certamente trará muitos ao Senhor! — O Reverendo Hughes gritava do púlpito enquanto os fiéis se acomodavam nos bancos e, mais uma vez, abriam a Bíblia.

— Preciso saber onde posso encontrar pão! — disse Benton Sage, mais alto que o necessário, a um morador de Awasa, Etiópia, para onde fora, uma tarde, depois de perceber que estava sobrecarregado.

— Não falo inglês.

— Inglês? Alguém? — ele gritou no meio de centenas de pessoas que escolhiam frutas e legumes e espantavam moscas enquanto caminhavam devagar ao longo da rua estreita repleta de carroças.

— Não tem problema! — berrou, erguendo uma das mãos até perceber que ninguém prestava atenção ao que ele dizia. Ele havia encontrado pão, ou o que chamavam de pão, naquela parte do mundo.

Depois de passar dois minutos e meio muito frustrantes tentando descobrir qual quantia certa de dinheiro deveria dar à velha senhora que pedia esmola, Benton Sage caminhou rapidamente de volta ao hotel, que não tinha mais de três quartos e ficava no andar de cima de uma pequena clínica, e subiu a escada mal iluminada e úmida até seu aposento. Ali, devorou quase o pão inteiro, sentou-se no chão, encostado na cama, e chorou baixinho. Dois dias depois, foi apresentado a Rameel, que o chamava de Been-tone Sog. Rameel, que havia se convertido cerca de cinco anos antes, assumira a responsabilidade de entrar em contato com a igreja de Benton e pedir ajuda a seu ministério, que consistia em viajar pelo país para fornecer alimentos, água e atendimento médico limitado aos pequenos vilarejos, com o propósito de converter ao cristianismo o máximo de pessoas possível.

Rameel contava os convertidos. Quando Benton Sage chegou para ajudá-lo, o total era, como ele disse com orgulho, 1.740.

— Been-tone Sog, você vai ser a luz de que meu ministério precisa! — disse Rameel em voz alta, cinco minutos após o início da primeira conversa.

— Estou feliz por estar aqui. Estou pronto para ajudar! — Benton ainda falava alto e lentamente, porque tinha a impressão de que seria mais bem entendido se falasse assim.

Foi na primeira incursão ao oeste que Benton teve uma visão de Deus em um sonho. A visão foi assim: Benton estava sozinho à beira de um oceano imenso e ameaçador. As ondas batiam em seus pés descalços, e o vento soprava seus cabelos, levando-os a seus olhos. As nuvens acima do mar tornaram-se pesadas, e, quando ele começou a escutar trovões, uma parede de água escura caiu do céu, dentro do mar. Ele apertou os olhos e notou que não era água, mas sangue caindo das nuvens. Virando-se para se afastar, Benton foi interrompido por uma voz, a voz de Deus. Ele se voltou e viu, ali, no meio da tempestade caótica e bela, um garoto de pé, na água, com uma das mãos, a esquerda, erguida. Benton não mexia os lábios, mas manteve um sorriso discreto enquanto a voz de Deus apresentava o garoto a ele.

— Este é o anjo Gabriel. Não o tema. — Um pouco antes de o garoto abrir a boca para falar, um pássaro grande sobrevoou os dois e pousou no ombro do anjo. A ave piou alto um pouco antes de o anjo Gabriel falar. E então o anjo disse com firmeza:

— Benton, você foi chamado para trazer a mudança ao mundo. Foi agraciado aos olhos de Deus.

Quando Benton Sage acordou no dia seguinte, na barraca que Rameel montara para eles na noite anterior, perto do pequeno vilarejo cujo nome não conseguira memorizar, ele se viu suando frio, com as roupas grudadas na pele e os cabelos úmidos. Rameel estava ao lado dele como uma sombra e mais alto que a própria barraca. Ele sorriu, porém com uma expressão de remorso ou vergonha. Esticou uma das mãos na direção de Benton e, ao puxá-lo de seu saco de dormir, disse:
— Deus nos deu um presente hoje.

O presente, Benton logo descobriu, era um pequeno vilarejo chamado Kwalessa, repleto de pessoas doentes, moribundas e famintas. Eles foram de casebre em casebre, entrando em cada um deles sorrindo e com as mãos cheias de coisas como pão e jarros de água, além de caixas de arroz e grãos.

— Cada família vai ganhar dois pães, dois jarros de água e uma caixa. Compreende, Been-tone? — perguntou Rameel, supondo que Benton tentaria não seguir suas orientações.

— Compreendo.

Ao saírem do quinto casebre naquele dia, Rameel, com um sorriso largo, cutucou Benton e sussurrou, com orgulho:

— Mil setecentos e quarenta e seis.

Benton sorriu sem jeito, pensando que talvez Rameel tivesse se convencido de que poderia, em pouco tempo, como vinte minutos, converter pessoas da tribo a uma fé complexa como o cristianismo. Mas ele prosseguiu, seguindo Rameel para dentro de sete outros casebres, até voltarem para a barraca onde estavam para passar a noite. Rameel, sentado em seu saco de dormir, olhava com satisfação para o novo amigo e assentia.

— O que foi? — perguntou Benton.

— Você, meu amigo, é mesmo uma bênção.

— Por que diz isso? Só fiquei ao seu lado segurando jarros de água.

— Porque, Been-tone, essas pessoas desiludidas estão escutando, finalmente. É você, porque você está aqui ao meu lado, porque é ocidental, porque dá a elas uma razão para ter esperança.

Quando Benton acordou na manhã seguinte, viu-se sozinho na barraca. Um feixe único mas muito brilhante de luz do sol havia passado pela entrada da tenda e o acertado diretamente nos olhos. Ele saiu da barraca, que fora montada na curva de uma estrada de terra estreita, e ficou cego no mesmo instante. Enquanto seus olhos se ajustavam à luz, ouviu a voz de várias crianças. Virou-se e viu que cinco delas estavam dando a volta e passando pela tenda, fazendo piadas e rindo. Ele sorriu e apertou os olhos para ver o que elas carregavam. Cada uma delas levava uma pá, como um soldado leva um rifle, apoiando-a no ombro e segurando-a firme na ponta.

— Been-tone! — Rameel gritou, correndo para se colocar à frente dele.

— Bom dia.

— Dormiu bem? — perguntou ele.

— Muito bem, obrigado.

— Viu as crianças? — indagou Rameel, assentindo em direção às crianças misteriosas com pás.

— Não, ou melhor, acabei de vê-las passando. Aonde estão indo? — Benton ainda apertava os olhos por causa do sol.

— Elas vão cavar mais covas.

Capítulo 3

Leve-me ao fim do mundo

Às terças, quartas e sábados eu trabalhava em uma loja de conveniência chamada Handy Stop, que fica bem perto da I-40. Entre minhas atribuições estava vender cigarros, salgadinhos, refrigerantes, bilhetes de loteria, gasolina e preservativos. Às vezes, nos piores momentos, eu era obrigado a lavar o banheiro, que ficava no fundo, e para entrar nele era preciso pegar uma chave que ficava com o atendente (eu). Nesses momentos, eu imaginava que um teste de bomba nuclear acidental caía em Lily, Arkansas. A nuvem-cogumelo. Consegue perceber sua majestade? Consegue ouvir sua fúria silenciosa? Eu conseguia, principalmente quando tentava ignorar o suor que escorria nos meus olhos quando pensava no abismo escuro.

Ding-ding. Esse som sempre era sinal de que alguém estava entrando ou saindo da loja.

— Posso ajudar? — perguntei educadamente quando um homem alto e grande se aproximou do balcão e espiou, atrás de mim, a estante de cigarros.

— Quero um maço de Pall Malls.

— Dois e cinquenta.

Teclas. Caixa abrindo. Fechando.

— Obrigado.

— Obrigado.

Ding-ding.

Quando alguém passa doze horas de seu sábado em uma loja de conveniência vazia, a mente começa a vagar e a pensar que o presidente não consegue pronunciar a palavra "nuclear" e no fato de o primo de Lucas ainda estar no Iraque. Ele imagina imensos desertos de areia, e que seria desconfortável lutar contra os ventos apertando os olhos e mantendo a boca fechada, e que seria péssimo encontrar areia dentro da calça sempre que se despisse. Ele pensa na mãe cortando a franja de uma senhora e perguntando a respeito do marido dela, que está em uma casa de repouso. Imagina a tia no quarto de seu irmão menor, chorando e sozinha.

Ding-ding.

O Para Man chega, com seu aliado atrás.

Enquanto Russell e Neil andavam pela loja, observei Ada Taylor sentada e sozinha dentro do jipe de Russell, olhando para si no espelho retrovisor, sem ter ideia de que alguém podia vê-la. Ela usava a parte de cima de um biquíni, e não consegui ver o que mais ela vestia, porque a maldita porta bloqueava minha visão. Quis imaginar que se tratava de uma saia longa e toda amassada que dançava ao redor de suas pernas enquanto ela caminhava à margem do rio White.

— Posso comprar um maço de Marlboro? — Neil perguntou, com seriedade.

— Não.

— Tenho 18 anos, cara.

— Você tem 17. — O rosto dele se alternava entre normal e zumbi (o que não era muito diferente, exceto pelo fato de ele não ter mandíbula em minha imaginação).

— Venda os cigarros, bichinha! — O Para Man tinha um jeito próprio de falar.

— Não.

— Idiota — Neil murmurou ao jogar um pacote de Doritos sobre o balcão. Russell caminhou até o balcão do modo como imagino que um estuprador faria e colocou duas garrafas de Coca-cola ao lado dos salgadinhos. Pegou a carteira, tirou uma nota de 20 dólares e a entregou a mim. Não olhou na minha cara.

— Só isso? — perguntei.

— Isso e a gasolina — disse ele.

— Você não abasteceu o carro.

Com a cara frustrada e a respiração ofegante, Russell partiu em direção à porta, abriu-a (*ding-ding*) e gritou:

— Abasteça, imbecil!

Não era uma saia longa e toda amassada. Era um short jeans desabotoado. Quando percebi que estava olhando demais, virei-me e vi dois zumbis esperando pacientemente e discutindo a respeito de onde ir em seguida.

— Cullen, que diabos aconteceu com Oslo? — perguntou Neil, de repente.

— Ele morreu.

— Sei que ele morreu, cara. Como foi? Foi overdose mesmo?

— Temos quase certeza — respondi, olhando para Ada pela janela ao meu lado.

— Que idiota — disse Russell.

Por um segundo, fez-se silêncio. Aquele tipo de silêncio profundo, quando os sons que você em geral não percebe começam rapidamente a ficar mais e mais evidentes e inconvenientes, como o zumbir da geladeira nos fundos da loja e o do ar-condicionado. Russell e Neil foram as primeiras pessoas com quem eu havia conversado naquela semana que não me disseram sentir muito pela morte de Oslo. E, por mais estranho que seja, achei isso bacana, daquele jeito meio esquisito de "Gostaria de me esquecer da vida real e fingir que está tudo bem".

— São 15 dólares e 73 centavos.

Paga. Abre. Fecha.

— Obrigado, rapazes.

Ding-ding.

Gabriel costumava fazer isso quando ouvia alguém contar uma história, onde podia apoiar os cotovelos em uma mesa, cobrir os olhos com as mãos e se balançar para a frente e para trás bem devagar. Ele estava fazendo isso um dia depois de eu encontrar Para Man no salão de cabeleireiro de minha mãe, enquanto ela contava a Penny Giles, a mulher do carteiro, a respeito de tia Júlia e seus terrores noturnos. Sei disso porque eu estava girando lentamente na cadeira do salão à esquerda de Penny, lendo um livro sobre um menino de 16 anos que chupava o dedo.

— Ela vai ficar bem. Espere e verá. Não vai demorar nada — disse Penny Giles, fechando os olhos quando a nuvem de laquê a envolveu.

— Espero que sim, Penny. Espero mesmo — disse minha mãe, com aquela voz séria que só Gabriel e eu sabíamos ser falsa.

— Ela ainda está com vocês?

— Sim. Está no quarto do Gabe. Os coitadinhos estão dividindo uma cama.

— Ah, você não se importa, não é, Cullen? — perguntou Penny, olhando para mim de esguelha.

Eu não me importava muito com o fato de Gabriel ter passado as últimas quatro noites no meu quarto. Ele ficou relativamente em silêncio, não mexeu nas minhas coisas e à noite gostou de ouvir minhas ideias estranhas para livros. Quando contei que queria escrever um livro sobre zumbis que dominassem nossa cidade, ele sugeriu que eu fosse o mocinho e disse, tranquilamente:

— Talvez você tivesse que me matar quando eu fosse mordido. Não seria uma reviravolta incrível?

Não contei a ele naquele momento, porém eu não tinha a menor intenção de permitir que ele morresse em qualquer livro que fosse.

O que precisa ser dito a respeito de meu irmão é que, apesar de ele ter 15 anos, parecia ter a mesma idade que eu. Mas não sei bem se isso era porque ele parecia mais velho ou porque eu parecia mais novo. Gosto de pensar que era uma boa mistura das duas coisas. O mais conveniente disso tudo era que podíamos dividir roupas, desde que um pedisse ao outro com educação. Nós dois não gostávamos quando alguém mexia em nossas coisas. Gabriel também era esperto, mais esperto que eu, até. Quando éramos pequenos, ficávamos deitados no telhado, e Gabriel mostrava constelações diferentes. Sinceramente, eu achava que ele estava inventando a maioria delas, até que procurei em um livro de astronomia na biblioteca pública. O que é estranho, já que não consigo me lembrar de uma única vez em que Gabriel tenha mentido. E isso não quer dizer que ele era grosseiro, franco ou direto de alguma forma. Quando ficava calado, era sinal de que o que queria dizer, que era sempre a verdade, era inadequado. Nisso nós somos muito diferentes. Eu costumava me ver em situações nas quais, sem pensar, falara demais ou com muitas pessoas sem muito cuidado. É por isso que Laura Fish não fala comigo até hoje na fila do mercado. Uma situação parecida aconteceu comigo naquela mesma tarde enquanto eu estava deixando Gabriel em casa. Encontrei meu pai enquanto ele colocava latinhas de refrigerante *diet* dentro da caixa de isopor.

— Cullen, não poderei ir ao velório amanhã. Você pode levar sua mãe e sua tia, certo?

— Claro. Como sempre.

Aquelas duas últimas palavras saíram de minha boca antes de eu conseguir detê-las. Era tarde demais. Meu pai olhou para mim como se eu fosse o maior mal-agradecido da face da terra. Enfiou a última lata na caixa, abaixou a tampa, acendeu um cigarro, fechou a porta do caminhão e partiu.

O que acontece entre mim e meu pai: nós nos dávamos bem. Tudo ficou ótimo entre nós quando ele parou de beber, quando eu tinha 13 anos. Então, um dia, quando eu tinha quase 16, decidi começar a ser um idiota com ele. Não sei explicar direito. Quando eu tinha 11 anos, meu pai levou Gabriel e a mim a um museu, a cerca de três horas de Lily. Tinha esqueletos de dinossauros em tamanho real e um aquário com peixes e crocodilos do Arkansas. Tinha a pegada fossilizada de um mamute e balas em formato de pedra na loja de presentes. Tinha uma sala na qual dava para entrar para ver sua sombra e um espelho que refletia sua imagem de cabeça para baixo. E, no caminho para casa, enquanto meu irmão dormia no assento do meio entre nós, meu pai me disse, com a voz mole por estar embriagado, que me levaria com ele, sem pestanejar, até o fim do mundo. Eu sorri, confuso, mas feliz.

Título de livro número 74: *Merdinha mal-agradecido*

Na manhã seguinte, no pátio da igreja, onde havia estado pouquíssimas vezes, eu me senti familiarizado com o vento roçando suavemente meu rosto e com as palavras que eram ditas de modo tão sincero quanto eloquente pelo Reverendo Wells.

"Com isso, aprendemos que a morte pode nos ferir.

A morte pode nos surpreender.

Pode nos assustar.

Pode nos tirar o sono à noite.

Mas também aprendemos as coisas que a morte não pode fazer.

Não pode destruir nossas esperanças.

Não pode tirar o amor e o apoio de nossos amigos e de nossa família.

Não pode nos fazer perder nossa fé sem fim no mundo e em Deus.

A morte nos entristeceu, mas não vai prevalecer."

O Dr. Webb diz que, quando alguém jovem morre, as pessoas mais velhas se sentem culpadas por viver. Como Oslo era dois anos mais velho que eu, senti-me pouco culpado quando ele morreu. O que senti foi desgosto e pena. Fiquei triste por minha tia Júlia, que mal conseguia dizer uma frase sem cair em prantos. Fiquei triste por pessoas como Mena Prescott, que tentou com muito esforço fingir que não se sentia afetada. Principalmente, fiquei triste pelo meu irmão. Ele não demonstrava tristeza, mas eu o conhecia muito bem. Sabia que alguns sentimentos não estavam sendo demonstrados. Sinceramente, não consigo me lembrar de nenhum momento no qual Gabriel tenha interagido com Oslo. Nem uma vez. O único motivo pelo qual *eu* tinha que interagir era porque tinha habilitação e porque Oslo sabia que eu era como meu pai. Não digo não às pessoas com muita frequência.

Quando alguém está a quase um metro e oitenta acima do corpo de seu primo enquanto tia Júlia geme de sua cadeira dobrável de metal e a mãe dele sussurra "Calma, calma" em seu ouvido, só dá para ver uma sala clara repleta de corpos no Little Rock City Morgue. Ele se vira e tudo o que vê é um cemitério repleto de zumbis meio para fora das covas. Eles tropeçam, se arrastam e se aproximam para ficar perto dele. Quando alguém está cercado por centenas de zumbis e todos estão olhando para seu único primo, ele só consegue entoar as palavras de uma canção que ouviu no rádio de seu irmão mais novo.

E, quando morremos,

Todos temos asas.

Não precisaremos mais de pernas para ficar de pé.

O Reverendo Wells chorou mais para o fim. Eu o vi enxugar o olho esquerdo com as costas da mão enquanto terminava a oração, e a pequena multidão começou a se dispersar. Lucas sussurrou em meu ouvido: "Vou buscar o carro". Lucas era assim: levava a família do falecido ao velório e depois para casa sem que pedissem. Gabriel ficou do meu lado. Olhei para ele do jeito como se olha para alguém em um velório, e ele conseguiu abrir um daqueles sorrisos "Estou meio desconfortável e adoraria ir embora assim que possível".

— Será que ela nunca vai parar com isso? — perguntei a Gabriel, olhando na direção de tia Júlia.

— Duvido — respondeu ele.

— Você nunca vai reaver seu quarto.

— Você está dizendo que nunca vai reaver o *seu* quarto. — Ele riu.

Dei um soquinho de leve no braço direito de meu irmão para demonstrar afeto, e caminhamos em direção ao carro quando Lucas parou.

Havia neblina demais para o meu gosto ao redor da casa quando entramos na garagem e minha mãe gentilmente ajudou tia Júlia a sair do carro e entrar na residência.

— Coitada da Júlia — disse Lucas, apoiando o queixo no volante.

— Ela fez a mesma coisa quando meu avô morreu.

— Eu estava presente, Cullen.

— Ah. É mesmo.

— Ficou sabendo sobre aquele passarinho? — perguntou Lucas, ainda olhando para a casa. Lucas era uma das pessoas mais inteligentes e estranhas que eu conhecia, então não fiquei muito surpreso com o assunto que ele escolheu.

— Que passarinho? — perguntei.

— Tem um pica-pau que está extinto há quase 60 anos. Mas um cara de Oregon ou algo assim veio aqui e acha que viu um.

— Em Lily?

— Perto da cidade. Acho que ele estava descendo o rio de canoa e viu o pica-pau voar, ou coisa do tipo.

— Que estranho.

— Bom, preciso ir. Minha mãe vai achar que estou fazendo bagunça por aí — disse ele, rindo.

Quando Lucas Cader tinha 12 anos, seu irmão mais velho morreu em um acidente de carro. Foi em Little Rock. Eles se mudaram para Lily no começo do nosso oitavo ano. Lucas não falava muito sobre isso, mas, quando falava, tenho certeza de que era só pra mim. E, em suas palavras, como sua mãe não podia impedir que um filho se embriagasse e se metesse no trânsito na estrada, ele tinha que sofrer as consequências, com relatórios diários a respeito de onde havia estado, de para onde estava indo e do porquê do antes e do agora.

Eis o que eu sabia sobre Lucas Cader que a maioria das pessoas não sabia: ele não era tão feliz quanto parecia. Quando não estava nos corredores da escola, não mantinha aberto o sorriso de comercial de pasta de dentes e com certeza não tinha aquele brilho nos olhos do tipo "o mundo é um lugar incrível, então vamos sair daqui e amar a vida". O que ele tinha eram olhos marejados no banheiro e uma cara de tédio e confusão quando acreditava que ninguém estava olhando. E, um pouco antes de dormir à noite, ele fechava os olhos com uma força que nunca vi e sussurrava orações depois de se benzer. Quando terminava, olhava para o teto até cochilar, finalmente.

Tia Júlia voltou para casa exatamente uma semana depois de Oslo ter sido encontrado morto pela amiga que era prostituta. Tente explicar tudo isso a seu irmão de 15 anos, que ainda quer acreditar que o mundo é um lugar bom. Naquela tarde, quando Gabriel estava pegando algumas de suas coisas de meu quarto, e eu estava anotando umas ideias no caderno, ele olhou para mim e ficou paralisado.

— O que foi? — perguntei a ele com desconforto, percebendo uma lágrima em seu olho direito.

— E se você morrer, Cullen?

— O quê?

Ele se sentou na beira da cama.

— Sei lá, e se de repente você morre e eu fico aqui sozinho com a mãe e o pai e a tia Júlia na mesma rua, com seus gritos e choros?

— Gabriel, o que faz você pensar que vou morrer?

— Não acho que você vai morrer. Eu só estava pensando no que faria se você morresse, só isso.

— Não pense nessas coisas, tudo bem? Você está me assustando.

Quando o irmão meio tímido, e às vezes divertido e dramático, de uma pessoa o abraça com força, ele começa a pensar em escrever um livro ou a fazer um filme no qual os mocinhos e os vilões não atirem uns nos outros nem briguem com espadas, mas só se abracem muito. O irmão da pessoa começa a chorar muito baixinho, e ele realmente parece não ter ideia a respeito do que fazer ou dizer, ou de como sair da situação. Ele pensa em chorar também, mas sabe que não conseguiria ser convincente. Por fim, ele abraça o irmão e dá vários tapinhas em suas costas, como se estivesse abraçando uma senhora na igreja. Seu irmão finalmente o solta.

— Desculpa — disse Gabriel sussurrando.

— Tudo bem — respondi, sem saber se acreditava ou não naquilo.

O dia seguinte foi o último dia de aula antes das férias de verão. Não sei por que o último dia foi uma segunda, mas não reclamei por não ter que terminar a semana. Era tradição minha e de Lucas faltar no último dia de aula, mas havíamos decidido ir naquele dia simplesmente porque não conseguíamos pensar em nada melhor para fazer. Além disso, eu queria dar uma última olhada em Ada Taylor antes que ela se formasse e nunca mais voltasse para Lily. Ela era uma das poucas que eu acreditava que construiriam uma vida para si em outro lugar; em algum lugar melhor.

Se você já foi à escola no último dia do ano, sabe que os professores estão totalmente cansados. Em geral, eles atribuem as tarefas de limpeza assim que os alunos entram e parecem quase irritados por você existir. Foi por esse motivo que Lucas e eu escolhemos ajudar a levar as carteiras para fora das salas, para a limpeza de verão. Nós deslizávamos as carteiras até a porta, erguíamos cada uma delas e as jogávamos em cima da última mesa que empurramos para o corredor, e então começávamos de novo. Eu sempre sentia um bem-estar estranho em rotinas como aquela. E durante todo aquele dia, quando não estava arrastando carteiras, eu tinha a sensação de que deveria estar me abaixando, pegando, erguendo e começando tudo de novo.

Ada Taylor não apareceu naquele dia. Sabíamos que a chance seria pequena, no entanto ficamos incomodados quando nos demos conta de que talvez nunca mais a veríamos. Lucas apoiou uma mão em meu ombro e disse, com um sotaque estranho:

— Bem, irmão, não era para ser. E, se era para ser, então você está ferrado!

— Podia ser pior — eu disse. — Eu podia ter dormido com ela e morrido.

— Verdade. Grande verdade, meu amigo.

— Por favor, pare de falar assim.

— Assim como?

— Como um James Bond mal interpretado.

— Idiota — ele murmurou, com um sotaque escocês perfeito.

Depois da aula, Lucas, Gabriel e eu fomos à casa de Mena Prescott por tempo suficiente para entrar, beber uma Coca-cola entregue pelo pai dela, bastante empolgado, responder a um breve interrogatório feito pela mãe enxerida dela e, finalmente, tirar Mena dali e colocá-la dentro do carro. Fomos para um lugar perto do rio, onde Lucas me contou pela primeira vez sobre seu irmão e onde eu tinha, depois de um tempo, vivido um momento impróprio para menores com Laura Fish.

— Onde está Libby? — perguntou Mena, ao perceber que um membro do grupo estava faltando.

— De férias com a família — respondeu Gabriel, com o olhar triste.

Lucas e Mena logo estavam brincando na água enquanto Gabriel e eu nos deitamos à margem, usando nossas camisetas emboladas sob a cabeça para servir de travesseiro.

— Você acha que ficaríamos famosos se encontrássemos um? — perguntou Gabriel.

— Um o quê? — Lucas gritou do rio enquanto Mena espirrava água em seu rosto.

— Se estivéssemos deitados aqui desse jeito e víssemos um daqueles pica-paus.

— Ah, não sei se ficaríamos famosos, mas aposto que, pelo menos, ganharíamos uma matéria no *Lily Press!* — eu disse, brincando.

— Isso quase parece não fazer sentido — Gabriel acrescentou.

— Sim — concordei.

— Não sei por que tanta coisa com esse passarinho — Mena gritou, enquanto tentava não ser puxada para dentro da água por Lucas.

— Gabe, quer explicar desta vez? — perguntei a meu irmão, porque já tinha ouvido a teoria dele a respeito da situação do pica-pau uma noite antes.

— Precisamos dele — Gabe falou. — Quero dizer... *eles* precisam dele. — Ele acenou em direção à cidade.

— O que quer dizer? — perguntou Lucas, e ele e Mena ouviam com atenção, como todos nós fazíamos quando Gabriel decidia contar uma de suas teorias.

— Veja a nossa cidade — começou Gabriel —, veja as pessoas. Quantas pessoas felizes você vê em um dia? Quantas pessoas vê que parecem satisfeitas?

— Eu estou satisfeita — disse Mena.

— Você é jovem o bastante para pensar que pode sair daqui — afirmou Gabriel, sem hesitar.

— Comigo — Lucas acrescentou, passando um dos braços pelos ombros de Mena.

— Continue, Gabriel — eu disse, virando os olhos para o casal feliz.

— Aí é que está! Esta é uma cidade repleta de pessoas que eram como nós. Você acha que alguém em Lily cresceu sonhando em constituir uma família aqui? Você acha que se todos eles pudessem não partiriam amanhã mesmo?

Ficamos quietos por alguns minutos depois disso. Foi um daqueles momentos em que você espera alguém dizer algo importante ou engraçado, ou fazer *qualquer coisa* para tirar você dos pensamentos tristes que tomam sua mente. Pensamentos do tipo nunca ter dinheiro para se mudar ou não entrar na faculdade. Pensamentos como ter que voltar para cuidar de um pai adoecido e ficar preso de novo. Era o que acontecia em Lily. As pessoas sonhavam. As pessoas partiam. E todas elas voltavam. Era como se fosse uma versão do Arkansas de um buraco negro; nada podia escapar. Fiquei ali, em silêncio, ao lado do meu irmão, do meu melhor amigo e da sua namorada na água à minha frente, e eu sabia que estávamos perto da decepção pós-decepção. Brincávamos fazendo comentários sobre Lily o tempo todo, porém sabíamos muito bem que fazíamos parte de tudo aquilo. Não havia nada que nos separasse do gerente do mercado de Lily, que *sabia* que sairia, mas nunca saía. Não éramos diferentes de meus pais, que tinham se mudado de Lily e voltado cinco anos depois de se formarem no ensino médio.

Então, o fato de Gabriel acreditar que nossa cidade precisava que aquele passarinho existisse fazia sentido para mim, independentemente de gostar ou não. Eles precisavam de algo em que ter esperança. Na minha cabeça de 17 anos, nada mudaria se aquele maldito pássaro aparecesse, porque eu ainda tinha uma pequena chance de ter um futuro. Ainda tinha esperança na possibilidade de começar uma vida em outro lugar. Era mais fácil para mim detestar todo mundo na cidade do que me detestar por ter medo de ser como eles.

— Eles precisam disso — disse Gabriel, rompendo o silêncio. — Eles precisam de um motivo para acreditar que ainda estão aqui por algum motivo.

— Então você acha que eles vão encontrá-lo? — Mena perguntou a Gabriel como se ele fosse Yoda ou alguém assim.

— Acho que eles ficarão decepcionados até mesmo se o encontrarem. Nada vai mudar este lugar — declarou ele, com o tom de voz sério e reflexivo, como o de um ator experiente.

— Obrigado pela conversa animadora, Gabe — disse Lucas, espirrando água em meu irmão.

— De nada! — Gabriel gritou, pulando na água para atacar meu amigo.

Lucas rapidamente deu uma gravata nele e olhou na minha direção.

— Então, não tem mais o Para Man, não é? — Lucas gritou da água.

— De jeito nenhum! — respondeu Gabriel. Todos rimos.

— Bem — eu disse —, só até ele ser reprovado na faculdade e voltar para cá!

Título do livro número 75: *Os buracos negros do Arkansas.*

Capítulo 4

O LIVRO de Enoque

Depois de cerca de duas semanas viajando, Benton Sage estava começando a se acostumar com a rotina de entregar alimentos, água e Cristo com o máximo de rapidez e eficiência. Conversara com sua família apenas uma vez desde sua partida de Atlanta e fora o suficiente para dizer a ela que acreditava estar realizando a missão de Deus. Ao fazer isso, contara sua primeira mentira. Passava a noite acordado, lendo as Escrituras sem parar, procurando, em sua mente, um sentido para as palavras que ele dizia e pregava constantemente. Rameel, certa noite, sentando-se no saco de dormir, olhou para Benton e disse, com a voz sonolenta:

— Você está sempre com Deus, Been-tone.

— Estou tentando entender uma coisa — afirmou Benton.

— O que é?

— Está em Hebreus. Está escrito: "Não são porventura todos eles espíritos ministradores, enviados para servir a favor daqueles que hão de herdar a salvação?".

— E? — Rameel se ajeitou.

— Sempre achei que era Deus dizendo que deveríamos ir salvar as pessoas.

— E você duvida disso agora? — perguntou Rameel.

— Não. Duvido que eu esteja ajudando Deus a não ser oferecendo alimento e água. Sinto que não estamos fazendo nada além de ler algumas escrituras e seguir em frente.

— Estamos, Been-tone. Estamos tentando dar alimento a essas pessoas. E água. E, sim, estamos tentando *apresentar* Deus a elas. Mas, veja, não são exatamente as coisas que dizemos a elas sobre Cristo, mas o que fazemos por elas, que espelha as atitudes de Cristo.

— E como elas saberão como adorá-lo? Como saberão onde procurar a salvação? — O tom de voz de Benton demonstrava frustração.

— Elas saberão que tem alguém cuidando delas. E o restante depende de Deus.

No dia seguinte, Benton Sage pensou muito sobre o que Rameel havia dito. Viu uma criança beber de um jarro de água e molhar os lábios secos pelo sol. Escutou a mãe começar a murmurar e a cantar uma canção, e observou a família toda cantar junto. Viu os garotos brincando com uma bola de futebol perto de uma plantação de trigo, uma área que Rameel ajudara a plantar. Escutou Rameel rindo com uma pequena família em seu casebre enquanto mostrava a ela fotos de sua igreja e de sua própria família, contando histórias e cantando. Benton Sage sentou-se sozinho do lado de fora da choupana e escreveu uma carta para sua casa:

Caro Reverendo Hughes,

Não tenho certeza de que este é o lugar certo para mim. Sinto que meus talentos poderiam ser mais bem aproveitados em outro lugar, algum lugar cujo idioma eu consiga falar, em que eu consiga pregar, em vez de ficar por aí realizando tarefas. Compreendo que Deus me chamou aqui por algum motivo, mas, ou não estou pronto para receber essa mensagem ainda, ou cometemos um erro. Você sempre diz que devo confiar no Senhor, pois ele me dará uma resposta, por isso esperarei sua resposta e continuarei a fazer o que devo fazer aqui, pelo Senhor, e certamente ele ouvirá meus apelos.

Atenciosamente,

Benton Ezekiel Sage

Benton conseguiu postar a carta em Adis Abeba, a capital, e colocou o endereço da igreja de Rameel como remetente. Disseram-lhe que uma carta para os Estados Unidos demoraria entre três e cinco semanas para chegar ao destino. Ele esperou pacientemente e continuou a trabalhar com Rameel, de quem se tornou mais próximo à medida que as semanas passaram. Soube que Rameel era casado com uma britânica chamada Isadora, e que eles tinham dois filhos: Ezra, a filha, e Micah, o filho. Soube que Rameel estudara em Londres, onde aprendeu inglês, e conhecera Isadora em uma aula de literatura no último semestre.

— Foi como olhar para o sol e não ficar cego — disse Rameel sobre a primeira vez em que vira Isadora.

— Ela era tão linda assim? — perguntou Benton.

— Been-tone, o rosto de minha família brilha como a luz de Deus.

Certa manhã, quase dois meses depois, Rameel entrou em um cômodo pequeno onde Benton ficava entre uma viagem e outra pelo país. O quarto tinha vista para um jardim de oração que Rameel planejara e construíra para a igreja. Benton olhou para Rameel, que parecia preocupado e segurava um envelope endereçado a ele. Benton o pegou das mãos do amigo, que saiu lentamente do quarto, e rasgou o papel com um pouco de hesitação. Ali dentro não havia uma carta de casa.

Nenhum cartão parabenizando-o pelo aniversário feito na semana anterior. Nenhuma resposta do Reverendo Hughes. Dentro do envelope só havia uma passagem de avião.

Naquela noite, após Benton explicar que partiria em uma semana, Rameel olhou para as próprias mãos e de volta para Benton. Balançou a cabeça e começou a sussurrar, apesar de ambos serem os únicos na sala de jantar.

— Been-tone Sog. Sentiremos sua falta. Agradeço ao Senhor por seu tempo aqui comigo. Que ele volte sua luz a você todos os dias.

No dia seguinte, ficou decidido que, antes que Benton partisse, ele seria apresentado à família de Rameel, que morava em Londres, mas voltava a Adis Abeba durante os meses de verão. Rameel sorriu animado enquanto ambos se dirigiam a uma casa branca de dois andares, com um gramado tão verde e bem-cuidado que o sol, refletindo nele, fazia Benton semicerrar os olhos.

— A família de Isadora é muito abastada — disse Rameel, com humildade.

— Não é a sua casa? — perguntou Benton.

— Esta casa pertence à minha esposa. Fico aqui de vez em quando. — Rameel riu alto enquanto estacionava o carro.

Do lado de dentro, duas crianças correram e pularam nos braços do pai. Ele as pegou, levantou-as e as colocou de volta no chão. Elas riram muito, e seus rostos se iluminaram. Isadora, uma mulher caucasiana alta, magra e bronzeada, aproximou-se de Benton com a mão estendida.

— Você deve ser Benton Sage — disse ela, graciosa.

— Sim. E você deve ser Isadora.

— Prazer em conhecê-lo, Benton. Está gostando de ficar aqui?

— Muito — declarou Benton, contando a segunda mentira de sua vida.

Depois de Isadora mostrar a casa a Benton e apresentá-lo às crianças, que acharam graça em ficar repetindo "BEEN-TONE SOG!" aos berros, todos se sentaram para jantar. Benton fez o melhor que pôde para engolir a comida, preparada por um chef, mas ficou com nojo do bife malpassado e da sopa fria servida como entrada. Durante a sobremesa, uma musse de chocolate de que Benton gostou muito, Isadora começou a fazer perguntas a respeito dele, de sua família e de sua vida como missionário.

— Bem, esta é a minha primeira missão, na verdade. Ensinei um pouco das Escrituras em Nova Orleans, num verão. Você conhece Nova Orleans?

— Sim — respondeu Isadora. — Meu pai chama de Big Easy. É muito estranho?

— Não. É como a maioria das pessoas se refere a ela. Mas não faço ideia do que quer dizer — disse Benton, pensando no apelido.

— E você tem algum outro hábito além de ajudar pessoas, Benton? — Isadora continuou.

— Você se refere a esportes, coisas assim? — Benton perguntou, rindo.

— Como cantar ou escrever. Você pinta ou faz alguma coisa do tipo? Meu Micah é um ótimo pintor, e Ezra está aprendendo a tocar piano.

— Ah. Bem, sempre pensei que, se o Senhor não fez, então não precisa ser feito. Por isso eu meio que me dediquei às Escrituras. Nunca pensei em ser artista nem nada assim. Acho que isso me distrairia — explicou Benton.

— Bem, então talvez devêssemos chamá-lo de Gabriel. Hein, Rameel? — Isadora riu.

— Sim, Gabriel, a Mão Esquerda de Deus — disse Rameel, erguendo o copo de água em direção a Benton e bebendo um gole.

— Não entendo — declarou Benton, sentindo-se confuso e deslocado.

— Gabriel, o anjo. Você o conhece? — perguntou Rameel.

— Claro.

— Ele mandou os Grigori para o inferno — disse Isadora.

— Os Grigori... os anjos caídos? — quis saber Benton, ajeitando-se na cadeira.

— Isso. Mas dizem que, se você ler o Livro de Enoque, saberá que ele fez isso porque os Grigori estavam ensinando coisas demais aos seres humanos, como astrologia e artes — Isadora explicou.

— O Livro de Enoque? — perguntou Benton.

— Sim. Não está na sua Bíblia. Só naquela — Rameel apontou para a estante atrás dele, onde havia uma edição volumosa e de capa de couro da Bíblia Ortodoxa Etíope.

— Eles foram mandados para o inferno por toda a eternidade porque não paravam de atrapalhar os seres humanos na Terra. Eram abelhudos, então Deus, por intermédio de Gabriel, matou os filhos deles e os mandou para o inferno — Isadora explicou, de maneira casual.

— Eles tinham filhos? — perguntou Benton.

— Os néfilins — disse Rameel, em voz baixa.

— Eles eram gigantes. Gabriel matou todos eles e fez com que seus pais assistissem a tudo — afirmou Isadora, tomando um gole de água em seguida.

Capítulo 5
Ame o PÁSSARO

Duas semanas desde o início das férias de verão foi o tempo que levou para que todo mundo da cidade começasse a falar do maldito pica-pau. Um cara chamado John Barling começou a aparecer na primeira página do *Lily Press*, e as pessoas, nos restaurantes e nas lojas, começaram a incomodá-lo pedindo-lhe detalhes e até mesmo autógrafos. Após três semanas ele apareceu no *Little Rock Live*, um programa matutino com dois apresentadores de mau gosto, com penteados com tanto laquê que não poderiam ser destruídos nem a marretadas. Ele falava sobre si mesmo e sobre como decidira, um ano antes, que iria para o Arkansas encontrar o "indescritível pica-pau de Lázaro". Quando questionado sobre por que faria algo como aquilo, viajar de Oregon para o Arkansas para encontrar um pássaro que não era visto havia sessenta anos, ele disse algo do tipo: "Eu sempre soube que ele não estava morto". Não era conveniente? Aquilo era o mesmo que dizer: "Eu sabia que minha chave estava aqui o tempo todo" ou "Eu sabia que você venceria". Eu soube, desde a primeira vez que vi John Barling, que ele não se preocupava nem um pouco com os pássaros e que, com certeza, não dava a mínima para Lily, o lugar que tentava elogiar da melhor maneira possível em todas as entrevistas naquele verão.

Outra coisa que eu sabia a respeito de John Barling era que ele estava envolvido desde fevereiro com Shirley Dumas, a mulher que vivia na casa ao lado da sua com o filho, Fulton.

Fulton Dumas, um rapaz alto, magricela e desgrenhado de 16 anos, descrevia John Barling como o homem mais egocêntrico, maníaco e ganancioso que ele conhecia. Eu não botava muita fé no que Fulton dizia, uma vez que o único homem com quem ele podia comparar os outros era seu pai, levemente afeminado. Contudo, quando vi John Barling e o ouvi falando sobre encontrar Lázaro, eu sabia que Fulton estava certo. O cara era o tolo dos tolos. O maior dos tolos. O único homem que poderia destronar Para Man e se tornar o Rei dos Tolos.

Quando alguém dirige o carro da mãe pela cidade e vê cartazes colados nas vitrines das lojas e dos restaurantes, nos quais se lê AME O PÁSSARO E LILY: CASA DE LÁZARO E SEGUNDAS CHANCES ACONTECEM EM LILY, imediatamente começa a pensar em como o paraíso deve ser para se livrar dos pensamentos infernais que invadem sua mente. Ele imagina que o paraíso não deve ser uma cidade com ruas de prédios dourados, altos e claros, mas uma sala simples repleta de pessoas que o fazem sorrir e se sentir o centro das atenções quando conta uma piada engraçada ou fala sobre uma ideia nova para um livro. Ele vê o irmão de pé em um canto, usando um pijama verde de flanela, como fizera no Natal cinco anos atrás, e vê a mãe e o pai de mãos dadas na pia da cozinha, como os vira uma vez quando tinha 11 anos. Vê Lucas Cader jogando uma bola na sala para o irmão mais velho, Alex, que se parecia com ele, e escuta tia Júlia cantando uma música que ouvira na igreja quando tinha 8 anos mais ou menos. Ele canta o refrão em voz alta, a única parte de que se lembra, enquanto passa pelo Burke's Burger Box e vê o cartaz de um novo produto chamado Lázaro Burger.

Aqui estou, Senhor. Sou eu, Senhor?
Escutei-o chamando à noite.
Eu irei, Senhor, se me guiar.
Manterei o seu povo em meu coração.

É difícil dizer exatamente o que me irritou tanto em John Barling e em toda a história do pássaro sem parecer um adolescente rebelde sem causa vestido de preto e choramingando como Charlie Brown o tempo todo. Mas era a mesma coisa para Gabriel e para Lucas também. Era como se entendêssemos a piada que todo mundo na cidade tinha ouvido. Nós sabíamos como ia acabar. E teria sido muito mais fácil ficar sentado enquanto toda a Lily caísse no feitiço surpreendente da possibilidade de segundas chances, ou de ressurreição, mas não conseguimos fazer isso. Talvez eu não gostasse tanto das pessoas de Lily, entretanto sentia pena de quem era maltratado.

Meu cinismo, de vez em quando, me colocava em situações constrangedoras. Eu era especialmente cínico quando estava em grupo, talvez porque sentisse que um comentário sarcástico a respeito de um desconhecido me traria o respeito e a admiração dos amigos. Isso raramente dava certo. Uma pessoa age como idiota só algumas vezes; depois disso, todos deixam de prestar atenção. Gabriel me fez deixar esse hábito certa noite, depois que tirei sarro de um casal que saía do cinema.

— Você age como se odiasse todo mundo. Deve ser cansativo.

Sem saber o que responder, concluí que ele tinha razão. Meu irmão, sempre ingênuo, sabia dar a todos a chance de mudar de opinião. As primeiras impressões não significavam nada para Gabriel. Na verdade, o fato de ele não gostar de John Barling e de sua missão não surgiu do cinismo, mas da perspectiva de um ativista dos direitos animais.

— Se eu visse o pássaro, não diria a ninguém — ele me disse, certa tarde, em casa. — As pessoas meio que conseguem estragar tudo mesmo quando estão tentando ajudar.

Eu havia chegado ao trabalho ao meio-dia, e quatro horas depois tinha lido um livro inteiro e exibido minha habilidade de assoviar para três meninas do ensino médio que gostavam de me paquerar enquanto a mãe delas abastecia o carro do lado de fora.

Cinco horas depois de começar a trabalhar, decidi que, se visse o pássaro, não contaria a ninguém. Ninguém mesmo. Como dissera Gabriel, as pessoas se metem onde não são chamadas. Foi por isso que o pássaro foi embora, para começo de conversa. Como a ave poderia sobreviver com tantas pessoas em sua casa? Não, Lázaro ficaria muito melhor sem John Barling e sua pequena missão de redescoberta.

Quando eu estava prestes a aceitar o fato de que deveria limpar o chão da loja, Lucas Cader entrou (*ding-ding*) balançando a cabeça de um lado para o outro.

— Adivinha só, meu amigo atendente.

— O que foi?

— Tenho grandes notícias.

— O que é? — Eu detestava quando alguém dizia ter algo para me contar em vez de simplesmente contar logo.

— Arrumei um encontro para você!

— Um encontro?

— Sim, e não é de negócios. — Lucas riu.

— Engraçadinho. Com quem?

— Está pronto para saber? — perguntou ele, apontando com as duas mãos para mim.

— Sim! Pode me contar!

— É melhor você se sentar, Cullen.

— Mato você e mato mais gente se você não...

— Alma Ember — ele interrompeu, com confiança, recostando-se no balcão, aproximando-se de mim.

— Alma Ember?

— Isso aí. A própria. Sim, meu amigo. Ela é toda sua.

— Lucas — eu disse. — Alma Ember tem vinte anos.

— Errado. Ela só completa vinte daqui a um mês.

— Mesmo assim, não posso namorar Alma Ember!

— Por quê? Por causa do nome dela? Eu sei, é meio...

— Não é pelo nome dela, idiota. Não posso namorar uma moça de vinte...

— Dezenove.

— Desculpa, uma moça de dezenove anos que não conversava comigo quando nos sentávamos lado a lado na aula de educação moral e cívica!

— Cullen, Cullen, Cullen, Cullen. Você era aluno do primeiro ano naquela época. Era baixinho, estranho, com certeza tinha acne. Tudo mudou agora. Ela conheceu o mundo. Viu o que os lugares fora de Lily têm a oferecer e agora voltou, e voltou para ficar. Isso quer dizer que ela está pronta para ver o que restou em Lily que ainda não foi...

— Estragado? — interrompi.

— Experimentado — disse ele, cruzando os braços.

— Pelo que soube, ela ia se casar com um cara da Geórgia — comentei, confuso.

— Sim, e o divórcio já está quase concluído. Eu verifiquei.

— Meu Deus! Qual é o seu problema, Lucas?

— Qual é o seu problema, Cullen? É a pergunta que precisa ser respondida. Consegui um encontro para você com uma jovem linda, bacana e engraçada que me disse não *acreditar* que você não tem namorada...

— Ela disse isso?

— Claro que disse! Até comentou que, quando te viu pela última vez, você foi gentil e estava lindo. Juro.

— Mentiroso.

— Não. Pode esperar. Hoje à noite.

— Hoje?

— Sim, hoje às sete vou passar na sua casa com a minha namorada do meu lado e a sua no banco de trás. Espero que você leve flores. O que me diz?

— Você já combinou tudo?

— Mena e eu vamos buscá-la às seis e cinquenta em ponto.

— Tudo bem.

Enquanto mordia meu Lázaro Burger, voltando do trabalho, fiquei pensando em como seria se o pássaro realmente existisse e estivesse em um daqueles lanches. O lanche em si não era feito de pica-pau, claro, mas de um pedaço de carne com ketchup, maionese e molho barbecue. O vermelho, branco e marrom deviam lembrar um dos pássaros, porém só me lembravam de pedir o mesmo lanche, o Número Três.

— Gabriel — comecei ao entrar no quarto de meu irmão, quando cheguei em casa —, o que você acha do Lázaro Burger?

— É só um Número Três sem queijo.

— Certo. Mas e o fato de estarem vendendo um hambúrguer que não tem nada a ver com um pássaro que provavelmente não tinha nada a ver com esta cidade e nem está mais vivo?

— Acho que você está pensando demais em um hambúrguer em vez de comê-lo. — Gabriel virou uma página do livro que estava lendo.

— Pense nisso. — Eu me sentei à beira da cama dele. — E se eu jogasse um hambúrguer na mata e o Lázaro, se existisse, voasse e desse uma bicada nele?

— Rá! Canibalismo! — Gabriel gritou.

— Canibalismo ornitológico! É pior ainda! — gritei em resposta, dei um pulo e corri pelo corredor até meu quarto, de um jeito infantil que só os irmãos adotam perto um do outro.

Às sete e cinco ainda não havia ninguém na rua, só eu, e eu não estava segurando flores, porque a Handy Stop não vendia flores nem o Burke's Burger Box. Às sete e onze ouvi o carro de Lucas no fim da rua de paralelepípedos. Mena estava com o braço para fora da janela, deixando a mão balançar ao vento, e eles pararam bem ao lado de onde eu estava. Mena abriu a porta, saiu, me deu um beijo no rosto e dobrou o banco para a frente para me deixar entrar. No banco de trás, fiquei calado; Lucas olhou para trás e disse:

— Cullen, você conhece a Alma.

— Oi.

— Oi, Cullen. Você está muito bonito — disse Alma.

— Você também, Alma.

— Obrigada.

O que percebi sobre Alma Ember é que ela não parecia nem um pouco nervosa. Acho que é isso que o mundo faz com você. Ou a maturidade. Ela parecia bem à vontade por estar no banco de trás do carro de um rapaz de 17 anos, com um grupo de estudantes do ensino médio que aposto que ela pensou que nunca mais veria. Eu, por outro lado, não conseguia pensar em uma situação na qual houvesse me sentido mais desconfortável. Lucas percebeu pelo modo como olhei para ele pelo retrovisor, por isso fez o melhor que pôde para quebrar o silêncio, falando que fora picado por uma cobra naquele dia enquanto ajudava o Sr. Branch a construir uma cerca.

Logo depois, entramos em um dos poucos cinemas a céu aberto ainda em funcionamento no país e saímos para buscar algo para comer. Comprei um pacote pequeno de pipoca e uma Coca-cola diet para Alma, e o mesmo para mim, sentindo-me meio envergonhado por pedir um refrigerante diet, porém não envergonhado o bastante para beber uma Coca-cola comum, que eu ainda achava muito doce. Ela me deu um beijo no rosto como forma de agradecimento, e acho que senti algo bem parecido com a sensação que uma pessoa experimenta ao subir uma estrada de terra. Daquele momento em diante, passei a me sentir cada vez mais confiante e menos eu.

Não consegui me concentrar no filme por tempo suficiente para me interessar, porque Alma Ember havia deixado a pipoca de lado e decidido fazer carinho na minha orelha esquerda. Apesar de ter sido bom, fiquei sem saber o que fazer com as mãos. Então, continuei comendo a pipoca enquanto Alma Ember permanecia pendurada no meu lado esquerdo.

Quando alguém, de repente, sente a mão de uma jovem subindo por baixo da camiseta dele, imagina, na mesma hora, essa jovem discutindo com o ex-marido, que imagina ser muito maior e mais forte do que ele próprio. Vê a si mesmo jantando com Alma Ember no Pizza Hut, quando o ex-marido grandão entra pela porta, segura a moça pelo braço e bate no rosto dela com a outra mão. Vê Lucas Cader pulando a janela para pegar uma cadeira e quebrá-la nas costas do gigante. Em pouco tempo, Mena Prescott está em cima do balcão dançando e formando as letras L-U-C-A-S, e Lucas Cader está segurando a cabeça de Cullen Witter enquanto uma linha vermelha escorre pelo seu couro cabeludo e seus olhos ficam vidrados. Ele morre ali, no carpete sujo e vermelho do Pizza Hut, por causa de algumas oportunidades de sexo medíocre com uma moça que abandonou a faculdade e que trabalha como manicure no fim de semana para ganhar um extra.

Eu poderia muito bem ter entrado na casa de Alma Ember naquela noite e saído na manhã seguinte, contudo não entrei. Nem sequer desci do carro. Alma me beijou na boca, afastou-se, mostrou-se desapontada e então saiu do carro. Mena Prescott não conseguia parar de rir, e Lucas desejou boa-noite a Alma.

— Foi estranho — disse Lucas, dirigindo de volta para minha casa.

— Muito — Mena acrescentou.

— Como assim? — perguntei. Eu sabia do que eles estavam falando.

— Sei lá. Ela estava pronta para levá-lo para casa, Cullen — disse Lucas.

— Você acha? — perguntei. Eu sabia que ele tinha razão.

— Ahhh. Ela estava muito a fim de você, idiota — Mena se intrometeu.

— Ela deve estar bem desesperada. — Ri.

— Você não gostou dela? — perguntou Lucas.

— Ela é legal. Mas um pouco séria demais.

— Séria demais?

— Sim. Eu só queria assistir a um filme e comer pipoca. Só isso.

— Cullen, você é o único cara no mundo que diria o que você acabou de dizer, sabia?

— Sim, Lucas, eu sei.

— Talvez você precise namorar meninas mais jovens, sabe, aquelas que não estejam tão prontas para casar, coisa e tal — Mena sugeriu.

— Talvez eu saia de Lily daqui a um ano e possa encontrar alguém muito melhor! — gritei.

— Cullen Witter, pessoal! Ele vive no futuro! — Lucas gritou pela janela enquanto passávamos por um sem-número de árvores, grama e nada.

Gabriel não estava no quarto dele quando cheguei em casa, então me deitei no chão e comecei a assistir a um filme antigo na televisão.

A minha tinha quebrado fazia uma semana. Demorei menos de quinze minutos para pegar no sono. Quando acordei, percebi que, sem querer, havia dormido em cima do braço, que acabou ficando dormente, dando-me a impressão de não existir. No espelho, vi que o lado do meu rosto tinha sido apertado contra o piso de madeira e estava muito vermelho, com dois vincos correndo horizontalmente. Escovei os dentes. Tomei um banho demorado. Lavei um dos lados do rosto melhor que o outro, tentando acabar com a vermelhidão. Saí do chuveiro e pisei no tapete, que ficava logo embaixo do aquecedor. Ergui a cabeça, fechei os olhos e deixei o ar quente passar pelo meu rosto e pelo meu corpo, sem me secar, porém me aquecendo o suficiente para sentir tudo de novo, como se estivesse dentro de um balão de ar quente.

Quando fui para a cozinha, meus pais estavam tomando o café da manhã e conversando sobre contas. Preparei uma tigela de cereais e sentei-me ao lado de meu pai. Ele olhou para mim e sorriu.

— Você dormiu no chão a noite inteira, não foi?

— Sim, dormi. E a foi a melhor noite de sono de que me lembro! — Enfiei uma colher cheia de cereal na boca enquanto meu pai respirou fundo em vez de dizer *Ha! Ha!*

— Onde está o seu irmão? — minha mãe perguntou quando se sentou à minha frente.

— Eu não o vejo desde ontem à tarde — respondi.

— Ah, como foi seu encontro, Cullen? — perguntou meu pai.

— Chato.

— Que pena. Você encontrará a pessoa certa um dia — minha mãe acrescentou.

Título de livro número 76: *Esta pipoca tem gosto de gente.*

Três horas depois, quando já tínhamos perguntando a todo mundo que conhecíamos e dirigido pela cidade duas vezes, decidimos chamar a polícia. Era uma quinta-feira quando meu irmão, a Mão Esquerda de Deus, desapareceu. Foi nessa mesma quinta-feira que John Barling apareceu na TV para falar sobre o pica-pau Lázaro, e que este havia ressuscitado dos mortos. Lucas Cader permaneceu sentado ao meu lado no sofá o dia e a noite inteiros, assustando-se como eu sempre que o telefone tocava, ou tremendo e batendo o pé como eu. Mena Prescott havia levado um pouco de comida para todos naquela noite, e permaneceu ali apenas o tempo suficiente para me garantir que tudo ficaria bem; o bastante para me dizer que essas coisas aconteciam o tempo todo. Não sei muito bem por quê, mas não conversei com ninguém além da polícia o dia inteiro. Nem com meus pais. Nem com Lucas. Não conseguia falar. Não estava chorando. Só estava calado, sentado ali com os olhos grudados na tela da TV, ouvindo meus pais serem interrogados por dois policiais na sala de jantar. Quando Lucas se deitou no chão e dormiu, simplesmente me joguei no sofá agora vazio e segui seu exemplo, até ser acordado para responder às perguntas da polícia.

Quando alguém é interrogado por um policial sobre a última vez em que viu seu irmão mais novo, caminha rapidamente para a rua, entra no Toyota Corolla verde de sua mãe, dirige por oito quilômetros até a margem do rio White e entra na água depois de se despir. Embaixo d'água, ele grita "PORRA" sem parar, enquanto a água enche sua boca e o nariz começa a arder.

Deitado de bruços à margem do rio, com a água cobrindo meus pés, comecei a imaginar que Lázaro havia se aproximado e pousado ao meu lado na lama. Ele se aproximou bem devagar, porém com a intenção de chegar o mais próximo possível. Seus olhos pretos marejados e o bico comprido e branco me impediram de perceber que ele estava a 70 centímetros do chão.

— O que você quer? — perguntei ao pássaro.

— Quero ajudar você, Cullen Witter — respondeu a ave, com uma voz semelhante à do Pica-Pau do desenho animado.

— Me ajudar em quê?

— Quero ajudá-lo a encontrar seu irmão — disse ele, abrindo as enormes asas e voltando a fechá-las.

— Você sabe onde ele está? — perguntei.

— Sei. E agora vou ficar famoso. Vou ser o primeiro pássaro a encontrar uma criança perdida. Vou aparecer na televisão!

— Cullen! — Ouvi um grito acima de mim. Era Lucas.

— Aqui embaixo! — gritei.

— O que você está fazendo? — Lucas perguntou, olhando para meu corpo quase nu, deitado metade na lama, metade no rio.

— Precisava esfriar a cabeça.

— Está se sentindo melhor? — Lucas perguntou, descendo o montinho de pedras que levava à margem do rio.

— Não muito.

— Pelo menos você está falando — disse ele, sentando-se em uma pedra grande meio enterrada na lama.

— Alguma novidade? — perguntei.

— Não.

— Lucas, ele morreu. Eu sei que ele morreu.

— Cullen, olha pra mim — falou Lucas, com seriedade.

Olhei para cima e mal consegui vê-lo com o sol nos olhos, no entanto percebi que uma lágrima escorria por seu rosto, pelo pescoço e acabava na gola da camisa.

— Seu irmão não está morto.

— Está, sim — disse ele, sentando-me.

— Vá se ferrar, Cullen! — Lucas gritou e me deu um soco na cara; em seguida, voltou para seu carro.

O Dr. Webb diz que perder um filho, às vezes, pode acabar com um casamento. Nas duas semanas seguintes ao desaparecimento de meu irmão da face da Terra, meus pais pareciam mais próximos do que nunca. Meu pai ficara em casa todas as noites, recusando-se a sair da cidade ou a ficar longe de minha mãe por mais que algumas horas. Eles também passaram a me proteger muito; não me deixavam ficar na rua até tarde nem permanecer na casa de Lucas por muito tempo.

Eu disse a Lucas que ele havia me batido uma vez em que pude ficar em sua casa, e a conversa foi meio assim:

— Lucas, você me deu um soco na cara. Seu louco.

— Fiquei nervoso. Me desculpa.

— Mas não doeu — eu disse, rindo.

— Cullen, seu olho ainda está roxo.

— Mas não foi por causa do soco. Escorreguei e caí em uma pedra logo depois que você foi embora. Foi terrível!

— Idiota — xingou Lucas, encolhendo o punho para fingir que me agrediria de novo.

Aquelas duas semanas foram muito tranquilas, exceto pelo grupo de busca de 40 homens que a polícia colocou para vasculhar a mata perto de Lily e descer o rio de canoa. Depois de procurar por quatro dias seguidos, eles não encontraram nada. Naquelas duas semanas, Lucas e eu havíamos procurado por meu irmão quase a região toda, descemos o rio de caiaque duas vezes, saímos para procurá-lo em barrancos de outros rios e coisas assim. Não encontramos nada. Na quinta-feira após o desaparecimento de Gabriel, minha família e Lucas foram para Little Rock e pararam em todas as cidades pequenas do caminho para colar cartazes de DESAPARECIDO, com a foto do meu irmão, em postes, bancos de parque e telefones públicos, além de vitrines de lojas. Fizemos o mesmo em Little Rock.

O problema de um menino de 15 anos desaparecer é que ninguém acha que ele foi sequestrado. Muito menos Gabriel, que parecia ter a minha idade. Todo mundo na cidade, apesar de não dizer, estava pensando a mesma coisa: Gabriel Witter finalmente fugiu de casa. Isso, ou então foi caminhar na mata e se perdeu, ou foi devorado por um urso. Mas eu sabia que meu irmão tinha sido tirado de mim. Não havia fugido, porque não fugiria. Não poderia. Nunca fugiria. E nunca havia se perdido na vida.

Duas semanas depois que eu acordara no chão do quarto de meu irmão, bati rápida e nervosamente na porta de Alma Ember. A mãe dela abriu e arregalou os olhos, surpresa, ao me ver ali às nove da manhã.

— Cullen Witter!

— Olá, como a senhora está? — perguntei a ela, com as mãos no bolso.

— Não. Como *você* está?

— Ah, estou bem.

— Já descobriram alguma coisa, querido? — ela quis saber, tocando meu ombro levemente com uma das mãos.

— Não, senhora. Nada ainda.

— Bem, sei que alguma coisa vai aparecer, mais cedo ou mais tarde.

— Sim.

Minha vida se transformou naquilo em apenas duas semanas. Agora, eram cerca de cem conversas iguais àquela por dia, que todo mundo que eu encontrava estabelecia comigo na cidade. A monotonia daquilo me dava vontade de desaparecer. Após alguns segundos de silêncio, a mãe de Alma finalmente deu um passo para o lado e me convidou para entrar. Perguntou se eu estava ali à procura de Alma. Respondi que sim. Ela virou a cabeça lentamente, levou uma das mãos ao canto da boca e gritou: "ALMA! CULLEN WITTER QUER VER VOCÊ!", como se estivesse na arquibancada de um jogo de futebol.

Alma entrou na sala, e eu, de repente, me lembrei por que pensara em descer a rua e bater à sua porta.

— Cullen! Oi! — Ela me abraçou pelo pescoço. Ultimamente eu andava recebendo muitos abraços.

— Oi. Pensei que talvez você quisesse fazer alguma coisa. Estava entediado.

— Uhh. Claro. Vou colocar meu sapato.

Quando entramos no carro dela (eu não tinha mais confiança para dirigir), olhei para ela, que parecia nervosa e muito calada.

Eu disse:

— Alma, se você não se incomodar, podemos tentar não falar sobre o meu irmão hoje? Nada sobre ele?

— Tudo bem, Cullen.

— Tudo bem? — perguntei.

— Eu entendo — disse ela, e então me deu um beijo no rosto.

Por falta do que falar, demorou só meia hora para que Alma Ember e eu acabássemos deitados meio dentro e meio fora do rio White, no mesmo lugar onde eu havia conversado com um pica-pau superconfiante, dado uns amassos em Laura Fish e sido deixado pelo meu melhor amigo. Quando rolei para cima de uma pedra pontuda e gritei de dor, Alma Ember pensou, equivocadamente, que eu estava expressando meu prazer e continuou a se mexer sobre mim, fazendo com que eu encostasse ainda mais na ponta da pedra que estava quase na minha espinha. Por fim, tive que fazer a única coisa em que consegui pensar, e, reunindo toda minha força, levantei Alma Ember e a joguei para trás, na água. Fiquei de pé, levei a mão às costas e trouxe à frente uma mão cheia de sangue. Alma começou a dizer coisas como "Seu idiota" e "Que diabos está fazendo?" até perceber o sangue na minha mão e eu me virar para mostrar a ela o corte profundo.

Um telefonema bem embaraçoso para os meus pais, uma ida ao hospital, sete pontos e duas horas e meia depois eu me vi sentado na cama de Alma Ember. Estava completamente nu, usando apenas meias de dedos dourados e um colar de crucifixo que encontrara no quarto de meu irmão. Alma Ember vestia menos que isso. Depois de me mostrar o que aprendera sendo uma boa esposa — palavras dela, não minhas —, adormeci sob o olhar atento de mais ou menos uma dúzia de bonecas de porcelana.

Quando alguém acorda sozinho na casa dos pais de uma mulher parcialmente casada, com a mãe dela passando o aspirador no carpete e sorrindo, pensa em se transformar em um líquido, vazar da cama, entrar nas frestas do chão e desaparecer. Quando nota que está muito nu e coberto apenas por um lençol fino, fecha bem os olhos e pede a Deus que um tornado arrase a casa e leve a mulher embora, para que possa sair e chegar ao turno da tarde no trabalho. A mãe de Alma começa a assoviar enquanto passa o aspirador ao lado de onde ele está descansando, e então desliga o aparelho com o pé. Olha para Cullen Witter quando ele olha para ela com medo e vergonha. Ela se abaixa, beija sua testa e continua passando o aspirador até sair do quarto, ainda assoviando a mesma música.

— Como foi? — perguntou Lucas Cader ao se aproximar do balcão da Handy Stop naquela tarde.

— Não seja pervertido — respondi.

— Não acredito que você foi lá de repente. Louco.

— Eu sei. Eu estava entediado.

— Não diria entediado, mas um pouco...

— Não diga isso, Lucas — retruquei. Mas ele disse mesmo assim antes de sair do balcão e pegar um pacote de Doritos.

— Deveríamos ir àquela reunião na cidade amanhã — declarou ele, com a boca cheia de salgadinhos.

— Por quê? Nem encontraram a porcaria ainda.

— Porque sim. É uma coisa que tá rolando. Tem um evento em Lily. Nós *temos* que ir.

— Você pode ir. Não vou conseguir ficar perto daquelas pessoas. Serão muitas caras de "sinto muito".

— Vamos. Você não quer conhecer o famoso John Barling? — Lucas perguntou, com sarcasmo.

— Ah, claro. Eu queria saber se ele assinaria meu caderno de autógrafos imaginários, com sua caneta imaginária, do escritório de onde ele escreve matérias sobre pássaros imaginários — debochei.

— *Podia* ser real, não acha?

— Acho que não me importo. Estou cansado de ver cartazes desse pássaro no lugar de cartazes do meu irmão. Estou cansado de ler matérias sobre esse pássaro em vez de ver matérias sobre o meu irmão. E estou cansado de escutar a voz de John Barling no rádio e ver a cara dele na televisão quando ele está falando sobre aquele pássaro em vez de falar sobre o meu irmão.

— Merda — disse Lucas Cader, baixinho.

— Merda mesmo — respondi.

Título de livro número 77: *Rezando para que ocorram tornados.*

Capítulo 6

Benton SAGE

Benton Sage considerou sua recepção um tanto indiferente quando voltou a Atlanta naquela manhã úmida de junho. Seu pai estava encostado em um muro, braços cruzados e olhos fixos no chão, como se quisesse mostrar que não queria papo. A mãe o abraçou de um modo que sugeria que ele precisava muito de um abraço. E as irmãs, as gêmeas, beijaram-lhe o rosto, disseram: "Bem-vindo ao lar, irmão", e caminharam em direção à escada rolante.

Benton soube, mais tarde, que o Reverendo Hughes queria vê-lo assim que possível, e imaginou que já tinha recebido uma missão melhor para servir sua igreja. No amplo escritório do Reverendo, o sol que entrava pelo vitral esquentava a sala, elevando a temperatura a ponto de fazer suar quem estivesse ali. Benton secou a testa quando o Reverendo começou a falar.

— Benton, você é um menino inteligente.

— Obrigado, senhor.

— Você tem quantos anos? Dezenove?

— Dezoito, senhor. Eu me formei cedo — disse ele, com orgulho.

— Ah, sim, eu me lembro disso. Bem, eu estava dizendo que você é tão inteligente que acho que precisamos reconsiderar suas tarefas nesta igreja.

— Não entendi — respondeu Benton.

— Acredito que talvez tenhamos escolhido você rápido demais para ser um missionário. O que pensei ser um grande potencial para propagar a palavra de Deus acabou sendo, bem...

— Reverendo — Benton interrompeu —, eu quero fazer isso. Quero sair e mudar as pessoas. Mas não foi possível onde o senhor me colocou. As coisas não funcionavam assim.

— Eu sei como funciona, Benton. Já estive em quase quinze missões. Já estive em várias partes do mundo. Sei como essas coisas são.

— Então, o senhor sabe que o ministério de Rameel tem mais a ver com conversas sobre arroz e grãos do que com Jesus? — Benton estava começando a se incomodar.

— Sei que Rameel foi escolhido por Deus para ajudar todas aquelas pessoas.

— Mas ele não as está ajudando. Só está prolongando a vida delas. Elas ainda estarão perdidas quando ele as deixar. Estarão alimentadas, mas perdidas! — Benton começou a falar mais alto.

— Benton, você perdeu de vista a sua missão como cristão. Sinto muito, mas não vamos mais enviá-lo a lugar algum.

Benton Sage tinha, desde a infância, um grande objetivo na vida: fazer com que o pai sentisse orgulho dele. Também aprendeu, ainda menino, que fazer isso exigia uma devoção firme e às vezes exaustiva à religião. Aos oito anos, Benton havia aprendido a impressionar o pai lendo as Escrituras à mesa do jantar. Isso, no fim, sempre o salvava das surras que as duas irmãs levavam. Aos nove anos, aprendeu a se lembrar das Escrituras cantando-as em pensamento. Aos dez, foi chamado para recitar uma Escritura durante a missa do Domingo de Páscoa. Errou duas palavras, e o pai o encarou de onde estava sentado. Benton pensou em fugir naquela tarde, pensou em nunca mais voltar para casa para não ser castigado. Mas não podia fazer isso. Não podia deixar as irmãs e a mãe sozinha aguentando a ira do "Reverendo Rambo", como ele e as irmãs se referiam ao pai, de brincadeira.

— Benton — disse seu pai naquela noite de Páscoa, sentado à beira de sua cama.

— Sim?

— Você decepcionou a mim e a sua mãe hoje, filho — começou ele, com a voz séria.

— Eu sei, e sinto muito. Eu tentei — ele se defendeu.

— Não invente desculpas. Não vale a pena. Você disse que sabia a Escritura, e não a conhecia. Amanhã, quando suas irmãs saírem para brincar, você vai ficar lendo aquela Escritura sem parar até decorá-la.

— Mas eu a conheço. Só fiquei nervoso — Benton começou a resmungar.

— Você ficou nervoso porque sentiu vergonha de si mesmo. Como deveria sentir. Eu senti vergonha de você, e Deus também. — O pai saiu do quarto e apagou a luz.

Benton Sage, no meio da mais completa escuridão, gemeu e chorou como um animal ferido prestes a morrer. Repetiu a Escritura em voz alta, para ninguém. E repetiu mais uma vez. E outra. Fez isso até o sono tomar conta dele, e assim que acordou na manhã seguinte começou a recitar a Escritura de novo. Ele a disse enquanto escovava os dentes, as palavras abafadas pela pasta e pela escova. Ele a disse no chuveiro, com a água entrando na boca a cada palavra. Ele a disse no ônibus da escola, fazendo com que três alunos se afastassem com medo de ele ter enlouquecido.

Aos 16 anos, Benton convidou uma garota chamada Susie para o baile da escola. Naquela noite, enquanto ajustava a gravata no espelho do banheiro e saía pela porta, foi interrompido pelo pai, que mandou o garoto se sentar.

— Tenho más notícias — disse o pai.

— O quê? O que aconteceu? Todos estão bem?

— Sim. Todos estão bem. É o seu encontro. Não vai dar certo — declarou o pai, sentando-se à frente do filho.

— Do que está falando? Estou indo buscá-la agora.

— Não está, não. Acabei de desligar o telefone. Estava conversando com a mãe dela, que ficou bem desapontada ao saber o que eu tinha para contar sobre a jovem Susie. — Ele balançou a cabeça.

— O que o senhor disse a ela? — perguntou Benton.

— Bem, acontece que, por fontes confiáveis, eu soube que a jovem Susie foi vista aos beijos com aquele filho idiota e pecador de Stanley Baker.

— O Chip? Chip Baker? Sim, eles saíam. Mas não mais. — Benton olhou para o chão. Sabia o que viria em seguida e tentou entender por que se surpreendera.

— Então você achou que não haveria problema em sair com uma rameira? Eu tinha outra visão a seu respeito, Benton. Certo. Não importa agora. O encontro já foi desmarcado. Você pode tirar essa gravata.

Com isso, o pai saiu da sala, e Benton, com a raiva tomando conta do seu corpo, cerrou os punhos e, por alguns momentos, esqueceu-se de como respirar. Ele quis se levantar, sair e buscar Susie na casa dela; continuar com o plano com o qual se animara por semanas. Porém, não conseguiu. O pai não permitiria. Não podia decepcioná-lo. Não podia ficar com uma moça barata como aquela. Ele merecia mais. Sabia das coisas. E, ao secar uma lágrima do canto do olho, ficou de pé, puxou a gravata do pescoço e voltou para seu quarto. No dia seguinte, no café da manhã, sentou-se na frente do pai com esperança de que o encontro não fosse ser mencionado; ele queria que tudo desaparecesse. Quando estava prestes a bebericar seu suco de laranja, o pai, sem desviar o olho do prato, disse lentamente:

— Sinto orgulho de você, filho, por confiar que sei o que é melhor.

Poucas vezes na vida Benton se sentiu tão bem. Ele não conseguia explicar, nem mesmo para si mesmo, mas aquelas poucas palavras do pai faziam a raiva e a preocupação valerem a pena.

Contudo, aos 18 anos, Benton não havia conseguido atender as expectativas do pai mais uma vez. Já tinha viajado metade do mundo, dormido em casas de chão de terra, dado comida e água aos pobres e moribundos, e ainda não havia impressionado o Sr. Jackson Sage. Quando voltou para casa e depois de ouvir a conversa com Reverendo Hughes, o pai de Benton decidiu ignorar o filho de uma vez por todas. Como se não bastasse, Benton passou praticamente a ser isolado pela família toda, que, tirando coisas como "Como você está?" ou "Pode me passar o sal?", parecia não perceber sua existência. Queriam o mesmo que ele: saber que estavam fazendo algo que orgulhava o pai. Nada no mundo parecia ser mais importante. Observou o pai falar sobre a escola com as irmãs e sobre culinária com a mãe. Observava todos eles reunidos na sala de jantar para estudar a Bíblia e rir dos programas de TV na sala de estar. Não sentia raiva da mãe e das irmãs, porque ele teria feito a mesma coisa. Teria sacrificado qualquer um deles para saber que o que estava fazendo deixava o pai feliz. Trabalhara por anos para ganhar outro momento como aquele à mesa do café da manhã — aquele momento em que o pai sentira orgulho dele. Mas fracassara. Sentindo que não podia mais suportar, Benton começou a telefonar para as universidades às quais havia se candidatado no ano anterior, antes de ir para a Etiópia e antes de decepcionar o pai pela última vez. Certamente, ele pensou, uma das propostas de bolsa ainda estaria válida. Ele poderia ir embora um dia.

Capítulo 7 Vizinhos

Minha tia Júlia andava deprimida desde que Gabriel desaparecera, aumentando o estresse e a preocupação de minha mãe, a quem observei certa tarde, na terceira semana de busca. Em uma tentativa de tirar vantagem da recente fama nacional da cidade e para se distrair da ideia de que meu irmão estava morto em um celeiro em algum lugar, ela havia apresentado o corte de cabelo pica-pau. Era para garotos, principalmente, e consistia em um moicano com as pontas dos cabelos tingidas de vermelho, em homenagem ao amigo imaginário de John Barling. Eu o achava ridículo, mas não conseguia parar de ver sempre que ela destruía os cabelos de um menino com o aparador e tintura. Duke Lister foi o primeiro a fazer o corte, e, assim que todos os meninos de 12 anos na cidade o viram posando para fotos com aquele penteado gigantesco ao estilo pica-pau Lázaro, que havia substituído uma velha cabana de madeira como a principal atração do parque local, todos encheram o salão de minha mãe com notas de dez dólares nas mãos.

— Você já viu algo assim, Cullen? — perguntou minha mãe, enquanto detonava o cabelo de Caleb Cooper, de 7 anos.

— Com certeza, não.

Em que momento minha mãe decidiu que era adequado fingir que estava tudo bem eu não fazia ideia. O que imaginei era que ela estava tentando viver a vida de um jeito normal, como nas três semanas anteriores, na esperança de que Gabriel reapareceria com a mesma facilidade com que havia desaparecido. Meu pai, por outro lado, ficava ao telefone a maior parte do dia. Falava com as delegacias de todo o Estado. Entrava em contato com jornais para imprimir anúncios de pessoas desaparecidas. Contudo, poucos concordavam em publicar matérias desse tipo. Seu plano era cuidar para que a foto de Gabriel aparecesse em todos os jornais do Estado. Ele também estava se dedicando à criação de um site, com a ajuda do menino que consertava computadores na loja de móveis Wilson.

É difícil explicar por que, depois de só três semanas, eu havia perdido toda a esperança de que meu irmão seria encontrado. Mas tudo acontecia em estágios. Um dia eu acordaria pensando *Pronto. Ele não vai voltar para casa hoje*, e no dia seguinte seria mais ou menos como *Vão encontrar o corpo dele hoje*. A única maneira de me consolar era imaginar que meu irmão tinha, na verdade, apenas se cansado de nós e fugido. Eu o imaginei na cidade de Nova York, conseguindo um emprego como entregador de correspondências em uma grande empresa e progredindo até conseguir uma vaga administrativa depois de ter estudado à noite. Eu o imaginei em uma cafeteria pedindo uma garota em casamento e tornando-se pai logo depois. E também o imaginei olhando para um retrato dele comigo e trocando-o por um de sua nova família. Eu o imaginei sorrindo. Ele estava sempre sorrindo.

Eu estava me cansando de ganhar abraços de meus pais todas as noites. Estava me cansando de Lucas Cader dormindo ao meu lado. Estava cansado de ver tia Júlia chorando todos os dias, mesmo quando não a via e apenas a escutava pelo telefone. Mas, principalmente, estava me cansando de ouvir, ler e ver coisas a respeito do maldito pica-pau. E, sentado em minha cama, certa noite, enquanto Lucas zapeava os canais na minha TV, escrevi uma frase em minha agenda, a mesma em que escrevia os títulos: *Se eu tivesse uma arma, atiraria na cara do pica-pau Lázaro.*

Fulton Dumas me causava arrepios. Não era só porque eu o flagrara olhando para mim de um jeito estranho em mais de uma ocasião, mas também por causa da maneira como ele dizia uma frase e a repetia baixinho para si mesmo. Ele também assustava Lucas Cader, tanto que Lucas tinha desenvolvido uma teoria de que Fulton deveria ser investigado no desaparecimento de meu irmão.

— Eles interrogaram ele e a mãe dele da mesma maneira que nos interrogaram, Lucas.

— Não importa. As pessoas que fazem coisas desse tipo sabem esconder a verdade. Não confio nele. — Lucas olhou pela janela de meu quarto, para a casa dos Dumas, ao lado.

— Acho que você está ficando paranoico. Por que ele seria tão tolo? Quem pega um vizinho?

— Exatamente. É o plano perfeito: sequestrar o vizinho. Ninguém seria burro o bastante para ficar tão perto da cena do crime. E ninguém suspeitaria do vizinho, tampouco. É por isso que ele fez isso. Está sentado ali, agora, só Deus sabe fazendo o quê. — Lucas estremeceu.

— Você precisa se acalmar.

— Não. Não consigo. Vamos lá.

— O quê? Não.

— Sim, vamos.

Lucas Cader atravessou o corredor e saiu pela porta da frente. Sua passada longa e firme me mostrou rapidamente que ele tinha a intenção de entrar na casa dos Dumas. Corri atrás dele.

— Lucas, isso é ridículo.

— Não, eu tenho que fazer isso.

Ele tocou a campainha.

Ding-dong.

Tocou a campainha de novo.

Ding-dong.

E mais uma vez, sem pausa.

Ding-dong.

A porta se abriu lentamente, como aconteceria em um filme de terror. Shirley Dumas estava à nossa frente.

— Posso ajudá-los?

— A senhora viu Gabriel Witter? — perguntou Lucas, sem hesitar.

— Não. Ele voltou?

— Não. Ele está aqui? — Lucas não desistiria.

— O que está dizendo, menino? — perguntou ela, confusa.

— Seu filho está aqui, senhora? — interrogou Lucas, entrando na casa, passando por ela. Eu permaneci na varanda, olhos arregalados e boquiaberto.

— Sim, posso *ajudá-lo*, Lucas? — Ela estava começando a se agitar. Eu permaneci na varanda.

— Fulton! — Lucas gritou, e começou a atravessar o corredor até o quarto de Fulton.

— Bem, vá com ele, creio eu — disse Shirley, balançando a mão.

No quarto de Fulton, percebi por que nunca tivera coragem de pisar naquela casa antes. A cama dele era coberta com uma colcha do game G. I. Joe e, em cima dela, havia o que deviam ser cerca de quarenta ou cinquenta bichinhos de pelúcia. As paredes estavam repletas de pôsteres de animais diversos, como filhotes de gato, macacos e ursos, por isso não podiam sequer ser vistas. Fulton estava sentado diante de seu computador com fones de ouvido. Cantava uma canção dos anos 1980 em voz alta quando entramos.

— FULTON! — Lucas gritou, dando um tapinha em seu ombro.

Ele se virou depressa e tirou o fone. Olhou para Lucas e para mim. Olhou para Lucas de novo e então para mim. Fez isso duas outras vezes até Lucas começar.

— Fulton Dumas, você sabe onde Gabriel Witter está?

— Não — disse ele, com a expressão mudando de repente, passando da vergonha para a tristeza.

— Tem certeza? — perguntou Lucas.

— Por que eu saberia onde ele está?

— Não sei, Fulton. Por que você precisa de mil bichinhos de pelúcia? Você viu Gabriel Witter?

— NÃO! — Fulton ficou de pé. Estava ficando nervoso enquanto Lucas continuava seu interrogatório. Não tentei impedi-lo porque não consegui pensar em nada a dizer. Além disso, depois de ver seu quarto, imaginei dar a Lucas uma chance de mostrar que eu estava errado. Não consegui assistir à cena, no entanto, por isso me virei e fingi que observava um dos muitos pôsteres de Fulton.

— Você era apaixonado por Gabriel Witter?

— Lucas, por favor. — Tive que interromper, desconfortável demais para ver.

— Cala a boca, Cullen! Era ou não, Fulton?

— NÃO!

De repente, o quarto ficou silencioso, e alguém segurou meus ombros por trás. Era Fulton. Ele me virou e olhou em meus olhos.

— Cullen — ele começou —, sinto muito, muito, muito pelo desaparecimento de seu irmão. Ele era um bom garoto. Muito bacana, sabia perdoar, era muito parecido com você. — Dito isso, sussurrando, ele me abraçou com força. Olhei para Lucas, cuja raiva havia se transformado em remorso enquanto ele observava Fulton Dumas começar a chorar com o rosto em seu ombro.

— Tudo bem, Fulton — disse Lucas.

— Sim, está tudo bem. Ele vai aparecer — declarei.

— Eu estava só de brincadeira — confessou Lucas.

Fulton deixou a conversa para lá e saiu do quarto. Atravessamos o corredor e saímos da casa em silêncio. No quintal da frente, olhei para trás para ver Lucas, e ele estava mordendo o lábio inferior. Estava com aquela cara que faz quando está pensando demais em alguma coisa.

— Não foi o Fulton. Eu me enganei — disse ele.

— Você acha que se enganou? — perguntei, brincando.

— Foi John Barling — afirmou ele, confiante, quando entrou na minha casa.

O pica-pau Lázaro foi visto pela última vez em uma floresta no norte da Louisiana, conhecida como Singer Tract. Apesar dos apelos da National Audubon Society e de vários representantes do sul, a Chicago Mill and Lumber Company, que tinha direito de desmatar a área, fez isso na floresta em 1944. Foi quando o último Lázaro conhecido, uma fêmea de nome Gertrude, deixou de existir oficialmente. O Lázaro era o maior pica-pau do mundo, passando o pica-pau-imperial com apenas dois centímetros e meio a mais de comprimento. John Barling afirmava ter a sensação de que, se deixasse seu emprego na Universidade do Oregon e se mudasse para Lily, Arkansas, conseguiria redescobrir o Lázaro e provar que ele nunca havia sido extinto. Ao fazer isso, deixou para trás dois filhos, uma esposa que não tinha formação universitária nem experiência de trabalho e um financiamento imobiliário. Foram essas as coisas que Fulton Dumas tinha descoberto sobre ele. Um dia, alguns meses depois de se mudar para Lily e ter feito sexo com a mãe de Fulton, John Barling desceu de canoa, pela milésima vez, um trecho curto do rio White, que passa pela margem da cidade. Em seu passeio de canoa naquela tarde, John Barling disse ter visto um pica-pau Lázaro voar rapidamente sobre sua cabeça e pousar em um enorme carvalho. Pegou a câmera sem fazer barulho, mas hesitou, sabendo que o som espantaria o pássaro. Segundos depois, decidiu registrar a ave batendo o bico diversas vezes na árvore e, em seguida, conseguiu o que precisava: o pássaro soltou um pio alto, que, de acordo com o National Ornithological Institute, é único dessa espécie. Depois, com apenas um pequeno registro digital em mãos, John Barling entrou em contato com o NOI, e em pouco tempo minha cidade ficou cheia de pessoas que tinham dedicado a vida a estudar e observar aves.

Na quarta semana após o desaparecimento de meu irmão, ainda não havia nenhum sinal dele. Durante essa mesma semana, também não apareceu nenhuma foto do maldito pássaro. Entretanto, mesmo assim, minha cidade estava cheia de gente, mais do que cabia ali. Todas as pousadas ficaram lotadas pela primeira vez em quase uma década, e a Pousada Lily mudou de nome para Pousada Lázaro, o que me deixou bravo quando passei por ela em uma tarde enquanto ia para o trabalho.

Além dos turistas e dos observadores de aves, com os quais eu me recusava a conversar, a maioria das pessoas que entrou na loja aquele dia era de motoristas de caminhão que precisavam de estoque de energéticos e também usar o banheiro por mais tempo que o necessário para qualquer ser humano. Enquanto eu limpava a chave do banheiro com desinfetante, um homem alto entrou (*ding-ding*) vestindo cáqui da cabeça aos pés. Era John Barling, o maldito cara do pássaro. Ele caminhou pela loja assoviando, com as mãos nos bolsos, naquele estilo idiota de safári, e eu fiquei imaginando como devia ser se sentar em uma sala de aula na faculdade tendo ele como professor. Ele pegou um doce. Colocou-o no balcão. Pegou o doce de novo, leu a parte de trás e voltou a soltá-lo. Fez a mesma coisa com cerca de outros três doces, até finalmente pegar um qualquer da prateleira, aproximar-se e colocá-lo em cima do balcão.

— Quanto morre? — perguntou ele, de um jeito triste, como se quisesse ter o charme do sul.

— Oitenta e sete centavos — respondi, sem ânimo.

— Você não é meu vizinho? — perguntou ele.

— Acho que não. — Não queria mais conversar com John Barling.

— É, sim. Ei, você encontrou seu irmão?

— Não. Você não o viu por aí, por acaso, não é? — perguntei, com uma seriedade quase tão intensa quanto o sarcasmo.

— Não, infelizmente. Que pena. Talvez ele apareça logo. É o que espero, pelo menos.

— Espero que o pássaro também apareça logo — eu disse, sem conseguir me conter.

John Barling não disse mais nada ao sair pela porta (*ding-ding*) com olhar confuso.

Título de livro número 78: *Não é pecado matar um pica-pau.*

Capítulo 8 A TORRE DA Terra

Naquele mês de agosto, quando Benton entrou em seu dormitório na Universidade de Atlanta, respirou fundo, fechou os olhos e se deitou na cama nova. Então, ouviu a descarga no banheiro e, quando a porta se abriu, sentou-se para ver quem estava ali. Diante dele estava um rapaz alto, esguio e musculoso, com aproximadamente a sua idade e cabelos castanhos muito bem penteados, olhos intensos e atitude séria.

— Você é Benton Sage? — perguntou ele.

— Sim — disse Benton, levantando-se e estendendo a mão. — Prazer em conhecê-lo.

— Cabot Searcy. Prazer em conhecê-lo também, Benton — respondeu ele, e o olhar sério se desfez.

— Está aqui há muito tempo? — indagou Benton.

— Tempo suficiente para me perder algumas vezes — retrucou o rapaz, sentando-se na cama.

Os dois riram e conversaram por um tempo, até que decidiram caminhar pelos arredores para conhecer alguns de seus vizinhos. Dez minutos depois, encontraram uma estudante de francês chamada Lucy, um estudante de jornalismo chamado Thomas e duas meninas da irmandade cujos cursos não ficaram claros. De volta ao quarto, os dois começaram a desfazer as malas e, em pouco tempo, estavam prontos para dormir.

— Amanhã o dia será corrido — disse Cabot de sua cama, com o quarto totalmente escuro.

— É. Fiquei sabendo que esse lance de orientação não termina nunca — comentou Benton.

— Você não me disse o que vai fazer com seu diploma em Inglês — disse Cabot.

— Ah, vou ser escritor — declarou Benton pela primeira vez.

— Legal. Estou estudando filosofia, porque, bom, vou mudar o mundo.

Benton Sage considerava a faculdade menos interessante que o colégio só porque as meninas pareciam mais abertas e bebiam mais, e os caras pareciam preocupados demais com seus corpos, sempre levantando peso ou falando sobre musculação, e olhavam para seus bíceps no meio da aula de história, sem que ninguém percebesse.

— Não preciso de músculos — afirmou Benton a Cabot Searcy certo dia, durante o almoço.

— Por quê?

— Porque os escritores nunca têm que bater em ninguém nem levantar pesos. Pelo menos eu acho que não — justificou ele, brincando.

— Acho que você está certo. Mas não perturbe ninguém com seus livros — disse Cabot, rindo.

Cabot Searcy tinha o tipo de confiança que tornava difícil a quem estivesse por perto prestar atenção a qualquer outra coisa. Quando começava a falar, a sala toda se concentrava nele. Quando ria, a sala toda começava a rir. Quando parecia irritado, a sala toda franzia o cenho. E as meninas, bem, elas praticamente faziam fila na porta do quarto de

Cabot e Benton, esperando a vez de serem tocadas por sua excelência. Benton, por outro lado, nunca tinha chamado nenhuma menina para sair e passava grande parte do tempo na biblioteca ou na cafeteria, sempre lendo. Certa noite, quando Cabot Searcy voltou de um encontro, olhou para Benton, que estava lendo um romance enorme, e começou a conversar. Benton, claro, escutou no mesmo instante.

— Você não gosta de meninas — disse Cabot, com seriedade.

— O quê? — perguntou Benton.

— Se você for gay, tudo bem. Meu primo é gay. Não me incomoda.

— Não sou gay — respondeu Benton, sentando-se na cama.

— É sério. Tudo bem. É só dizer.

— Cabot, cale a boca.

— Certo. Tudo bem. Então, por que você fica no quarto todas as noites em vez de sair para se divertir?

— Não sinto vontade de ir a lugar algum. Só quero ficar estudando.

— Que chato — concluiu Cabot, balançando a cabeça, demonstrando preocupação genuína.

— Não é. Talvez você devesse estudar mais — retrucou Benton, apagando o abajur e voltando a se deitar.

Não foi Benton Sage que ficou incomodado com a conversa naquela noite. Cabot Searcy, olhando fixamente para o teto e tentando adormecer, ficou pensando em quantas vezes havia dormido durante a aula naquele semestre e em quantas pessoas havia contratado para fazer seus trabalhos. Não conseguia parar de pensar nas duas aulas das quais já tinha saído ou do trabalho de geologia no qual fora reprovado. Então, em uma aula de inglês no dia seguinte, Cabot Searcy sentou-se em sua cadeira, com os olhos grudados na lousa, os ouvidos atentos à aula, os dedos folheando o livro em busca de detalhes. Destacava todas as linhas importantes. Marcava todas as páginas de referência. Fazia anotações nas margens. Cabot Searcy começou a se preocupar em aprender não para conseguir boas notas, mas porque ainda queria mudar o mundo.

— Passei. Acredita nisso? — perguntou Cabot a Benton no último dia do semestre.

— É mesmo? — indagou Benton.

— Sim. Meus pais vão adorar. Tanto estudo valeu a pena?

— Não. Preciso refazer duas matérias — respondeu Benton.

— Ah — disse Cabot, por não ter mais nada a dizer.

Enquanto a maioria das pessoas estava em casa visitando a família durante o recesso de Natal, Benton Sage decidiu ficar e começar a escrever o que seria seu primeiro romance. Cabot Searcy, pegando suas coisas, disse a Benton que ele podia ir a Vidalia com ele durante a semana. No entanto, Benton disse que aproveitaria o silêncio para fazer algumas coisas e colocar a cabeça em ordem. Benton Sage, depois de escrever apenas uma página em quatro dias, comemorou o Natal assistindo a uma reprise de *Anos Incríveis* e comendo uma barra de chocolate.

Quando telefonou para casa para falar com a mãe, ninguém atendeu. Ao se lembrar das irmãs cantando "Noite Feliz" na noite de Natal, chorou. Benton Sage não acreditava mais no Natal, porque achava que Deus o havia enganado. Tentara ajudar o mundo, mas o mundo não permitira. Naquela noite, quando os sinos da igreja começaram a tocar na Primeira Igreja Batista na rua Washington, Benton subia a escada para a torre do sino. Quando o décimo segundo sino tocou, Benton sentiu o vento no rosto, os braços esticados ao lado do corpo. Ouviu a cantoria baixa de músicas de Natal. Seus pulmões puxaram o ar frio pela última vez, e seu corpo se tornou parte da terra.

Capítulo 9

EM defesa DA IRRACIONALIDADE

— Simplesmente não gosto do cara — eu disse a Lucas sobre John Barling, cinco semanas depois de Gabriel ter bancado o Gasparzinho.

— Então teremos que matá-lo — respondeu Lucas, com muita confiança e uma sobrancelha levantada.

Precisei olhar fixamente para os olhos de Lucas por alguns segundos para ter certeza de que ele estava brincando. Mais ou menos naquela época, ele tinha começado a falar e a fazer coisas que, como diz o Dr. Webb, eram sinais de algum tipo de colapso nervoso ou insanidade induzida por estresse. Ele se recusava a dormir em qualquer lugar que não fosse o chão do meu quarto, começou a me levar de carro para o trabalho, ficava comigo durante todo o meu turno e pesquisava sequestros suspeitos em todo o Estado em seu laptop.

— Esse menino desapareceu há três anos e o tio estava com ele o tempo todo! — Lucas gritou para mim uma manhã enquanto eu escovava os dentes.

— E? — retruquei, derrubando pasta de dente sobre a pia.

— Você não tem nenhum tio meio louco?

— Não! — Eu ri, embora soubesse que Lucas Cader estava falando sério.

Quando alguém entra na cozinha da própria casa e encontra a mãe, o pai e o melhor amigo sentados diante de uma pilha intacta de panquecas, sabe que algo estranho aconteceu. Instantaneamente, lembra-se da última vez em que toda a família se reuniu à mesa e consegue ouvir, apenas vagamente, seu irmão imitando a risada do pai, conhecida por ser extremamente aguda e esquisita. Ele vê o pai ficando vermelho, tentando ao máximo conter o riso, enquanto Gabriel se levanta e começa a dançar, como vira a mãe fazer enquanto tirava o pó da casa, alguns dias antes. Samuel Witter então se descontrola, e lágrimas escorrem pelo rosto. Sarah Witter o acompanha, segurando a barriga ao se curvar de constrangimento e regozijo. Cullen Witter se senta à cabeceira da mesa, os olhos se enchendo de lágrimas, quase chorando de tanto rir, e observa o irmão, impressionado.

Quando me sentei entre Lucas Cader e meu pai, olhei de relance a manchete da primeira página do jornal que escondia o rosto dele. Dizia: LILY RECEBE CELEBRIDADE NACIONAL. Eu soube na mesma hora que o artigo seguinte seria sobre todos na cidade estarem extremamente obcecados pelo maldito pássaro. Sabia que alguém havia sido entrevistado a respeito dos visitantes na cidade, vindos de todas as partes do país, e que teria dito coisas como: "É inacreditável!" e "Já viu alguma coisa assim na vida?". Sentindo o vômito subir pela garganta, eu me virei para Lucas e vi que ele estava de olhos fechados e mãos unidas. Olhei para minha mãe na outra ponta da mesa e uma lágrima escorria por seu rosto, então perguntei, sussurrando, qual era o problema.

— Aquele menino, Russell Quitman, sofreu um acidente de carro na Flórida e quebrou o pescoço — disse ela, com cuidado. — Não é horrível?

Levei um minuto para tirar da cabeça a imagem do Para Man todo ensanguentado, caído no asfalto.

— Ele está bem? — perguntei.

— Está paralisado — respondeu Lucas, ainda de olhos fechados — da cintura para baixo.

— Minha nossa! Isso é terrível! — exclamei, surpreso por estar sendo sincero.

— Minha mãe ligou uns minutos atrás e disse que a mãe dele tinha telefonado e contado a ela — Lucas acrescentou. — Disse que ele ficaria no hospital por mais algumas semanas.

— Ah. — Eu não sabia o que dizer.

— Pobre Janette — minha mãe acrescentou, referindo-se à mãe de Russell.

— Pobre Don. Ele tem que pagar as despesas médicas — disse meu pai detrás do jornal.

— Pobre Ada — eu disse, por fim. Assim ficavam três para três.

— Não — Lucas interrompeu. — Eles terminaram duas semanas atrás. Eu não contei?

— Hum, não.

— Pois terminaram. Ela disse a ele que queria estar solteira quando entrasse na faculdade. — Lucas riu, mas logo se conteve.

— Pense só — eu falei. — Se eles ainda estivessem juntos, ele provavelmente estaria morto.

— Provavelmente — Lucas concordou.

Alma Ember estava começando a passar de uma distração agradável a uma inconveniência. Não se podia esperar que um garoto de 17 anos substituísse adequadamente o marido com nível universitário de uma mulher de 19 anos. Então, com a mais profunda maturidade e respeito, eu disse a Alma Ember, na sala acarpetada de seus pais, que talvez fosse melhor não nos encontrarmos mais. Quando ela começou a chorar, fiquei muito nervoso e rastreei meu cérebro em busca de algum tipo de reação, palavras de sabedoria, gesto de apoio ou consolo. Não encontrei nada. Gabriel Witter teria sido capaz de fazê-la rir antes de sair da sala. Eu a vi pela janela, ainda chorando, quando saí com o carro de ré.

Antes disso, eu tinha feito uma menina chorar uma única vez. Foi, é claro, Laura Fish. Depois de apenas três encontros, nós dois, na época com 16 anos, decidimos nos conhecer melhor em uma tarde ensolarada, no local previamente mencionado às margens do rio White. Assim que vestimos as roupas e voltamos para o carro de Laura, eu comecei a rir. Ela perguntou o motivo. Eu me recusei a dizer. Ela parou o carro e estacionou no acostamento da estrada. Perguntou o motivo de novo. Eu me recusei a dizer, negando com a cabeça, a mão tampando minha boca. Ela começou a chorar.

— O que foi? — perguntei.

— Por que está rindo de mim?

— Não estou. Quero dizer... São cocegas, eu acho. Não é nada — eu disse, do jeito que faço quando acho que a pessoa com quem estou falando está sendo irracional.

— Você é um cretino! — respondeu ela.

— Laura, não estou rindo de você. Estou rindo do fato de termos feito tudo isso para ficarmos deitados nus na lama, um do lado do outro, durante uma hora e depois irmos para casa — declarei.

— Saia! — ela ordenou, destravando as portas calmamente.

— Laura, eu não *fiz* nada!

— Desculpe se não sou a vadia que você está procurando, Cullen. Agora saia!

— Laura — eu disse, parado do lado de fora do carro, com a porta aberta —, eu estava rindo de nós, não de você. Não estou procurando nenhuma vadia. Eu nem gosto de vadias. Nunca nem conheci uma vadia!

— Bem, boa sorte. Cretino!

Ela saiu acelerando, batendo a porta logo depois que fui deixado tossindo na nuvem de poeira produzida pelos pneus. Caminhando pela estrada de terra naquele dia, eu me imaginei sendo corajoso e pegando carona para percorrer os cinco quilômetros até minha casa. Então imaginei um caminhoneiro desdentado parando para eu entrar e me perguntando sobre meus amigos e passatempos. Isso me deixou perturbado. Justo quando comecei a sorrir, pensando em Laura Fish correndo nua para o rio, uma picape passou em alta velocidade ao meu lado e parou. Novamente, tossi com a poeira. Quando consegui voltar a enxergar, Joe Eddie Fish, 15 anos, irmão de Laura que dirigia na ilegalidade desde os 13, estava vindo em minha direção.

— Minha irmã disse que você é um verme! — ele gritou.

— Sua irmã é louca — retruquei, incapaz de me conter.

— Repita.

— Não podemos conversar um minuto? — perguntei, tentando não rir com o absurdo da situação.

— Conversar não serve para nada — respondeu ele.

— Sério, Joe Eddie? Está se sentindo bem com o que acabou de dizer?

— Cale a boca, Cullen! Droga! Estou tentando intimidar! — ele resmungou.

— Joe Eddie, você corria pelo meio do irrigador no jardim da frente da minha casa. É difícil ficar com medo de você — afirmei, rindo.

— Que merda, Cullen! Eu devia estar acabando com a sua raça! — Ele também riu.

— Você ia mesmo fazer isso, Joe Eddie? — perguntei.

— Eu achava que sim.

— Em vez disso, pode simplesmente me levar para casa? — Vamos.

Contei toda a história a Joe Eddie enquanto ele me levava em casa, e ele riu comigo. Contou que sua irmã tinha uma reação exagerada em relação a quase tudo que qualquer um dissesse a ela, e que sua mãe agia da mesma forma. Falei para Joe Eddie que era uma pena ele e Gabriel não andarem mais juntos, e ele disse que Gabriel era esperto demais para ele.

— Ele faz com que eu me sinta burro. Mas não é culpa dele. Não estamos no mesmo nível, sabe? — Tive a impressão de que aquela era a primeira conversa adulta que Joe Eddie tinha. Também me pareceu que ele não era tão burro quanto todos faziam com que se sentisse.

— Obrigado pela carona — agradeci, desafivelando o cinto de segurança.

— Cullen — disse ele —, sinto muito.

— Por quê?

Assim que terminei a frase, o punho de Joe Eddie acertou meu olho direito. Preto. Por alguns segundos, vi tudo preto. Então, quando a dor começou a se intensificar e rolei para fora da picape, minha cabeça começou a latejar e eu cambaleei na direção da casa. Joe Eddie Fish, na sua opinião, havia defendido a honra da irmã. Havia feito isso mesmo acreditando que ela era louca. Por isso, não fiquei bravo com ele. Joe Eddie tinha princípios. É mais do que eu podia dizer da maioria das pessoas. No dia seguinte, Laura Fish passou por mim no corredor com um sorriso amarelo. Meu olho estava roxo. Lucas riu e cutucou meu braço com o cotovelo. Gabriel assoviou a música tema de *Rocky*.

Agora que o destino de Russell Para Man havia sido selado, eu estava me sentindo muito culpado por todas as vezes em que imaginei que ele era um zumbi e eu cortava sua cabeça fora. Dito isso, estava me sentindo cada vez menos culpado pelas fantasias nada-a-ver-com-zumbis que tinha com Ada Taylor e sua saia pregueada. Eu estava tendo uma dessas fantasias enquanto organizava cigarros em uma prateleira, em uma manhã de sábado do mês de julho. A fantasia logo foi interrompida quando alguém entrou na loja. *Ding-ding.*

— Olá — eu disse, sem tirar os olhos da prateleira de cigarros.

— Você precisa cortar o cabelo. — Uma voz afirmou atrás de mim. Era a voz de uma menina; no momento, era só o que eu sabia.

— Por que eu preciso... — comecei a falar enquanto me virava e via Ada Taylor parada bem na minha frente; entre nós, um balcão de madeira verde e uma grossa camada de constrangimento.

— Porque está ficando comprido demais. Você está tentando ficar com visual de surfista ou algo assim? — ela brincou.

— Não. — Eu não fazia ideia do que dizer enquanto ela continuava a conversar casualmente comigo.

— Você está estranho, Cullen Witter — disse ela, com um sorriso.

— Ah, eu não esperava ver você, só isso — respondi, com a voz trêmula.

— Bem, vim até aqui para ver você. Se não tiver problema. — De repente ela pareceu ansiosa.

— Tudo bem, Ada. Como você está? — Reuni coragem para tentar falar e ignorar o fato de que uma menina linda, para quem eu nunca havia dito mais que um "oi", tinha vindo me visitar no trabalho.

— Estou aqui porque ouvi falar sobre o que aconteceu com seu irmão há algum tempo e ainda não tive a chance de encontrar você. — Seu tom de voz passou de descontraído a sério.

— Ah. Tudo bem. Você não precisava...

— Precisava — ela interrompeu. — Estou pensando nisso há semanas, desde que fiquei sabendo, e me senti tão culpada por não ajudar todos vocês a procurarem por ele. Estou envergonhada por não ter feito nada além de pensar em você em vez de telefonar ou aparecer para vê-lo.

— Ada — eu disse —, nós mal nos conhecemos. Está tudo bem. — Usei novamente minha voz-para-falar-com-uma-pessoa-irracional.

— Sei que não somos amigos, e sei que isso é idiota, só que não consigo parar de pensar nisso. Acabei de chegar à cidade, e esse é o primeiro lugar aonde vim.

Seus olhos continham mais sinceridade do que eu já tinha visto em quase todo mundo que havia me dito "Sinto muito" ou "Estamos rezando por sua família" nas últimas semanas. Aquela menina linda, talentosa e inteligente estava realmente preocupada comigo, com minha família e com meu irmão. Ela *realmente* se importava. E, naquele momento, de repente me senti incapaz de continuar de pé. Recuei lentamente até a cadeira de metal que estava atrás de mim e me sentei. Fechei os olhos. Minhas mãos estavam tremendo.

— Cullen? — ela sussurrou. — Você está bem?

Não respondi porque, quando tentei falar, parecia que ia vomitar ou gritar, e não queria fazer nada daquilo na frente de Ada Taylor. Abaixei a cabeça sobre os joelhos e, quando meu corpo começou a tremer incontrolavelmente, senti um braço caloroso ao redor dos ombros. Ada Taylor se ajoelhou ao meu lado no chão enquanto eu chorava pela primeira vez, ao pensar que a pessoa que eu mais amava no mundo provavelmente estava morta.

Título de livro número 79: *Como fazer as garotas chorarem.*

Capítulo 10

CABOT Searcy

Está escrito no Livro de Enoque que duzentos anjos liderados por Azazel, guardião do trono de Deus, vieram à Terra depois de se apaixonar pelas mulheres humanas que protegiam. Ao fazer isso, esses anjos caídos começaram a se reproduzir com as filhas da Terra e geraram os chamados de néfilins, gigantes que consumiam todas as posses do homem. Como o homem não conseguia detê-los, chegou um momento em que também começou a ser devorado. E, depois de destruir os pássaros, as feras, os répteis e os peixes da Terra, os néfilins começaram a comer a carne e a beber o sangue uns dos outros.

Ao mesmo tempo, os anjos caídos, conhecidos como Grigori (ou Vigilantes), começaram a ensinar a todos os humanos remanescentes as artes da guerra, da vaidade e da astrologia. Foi aí que os céus ouviram os gritos daqueles homens que morreram pela falta de leis na Terra. E Deus ordenou que sua mão esquerda, o anjo Gabriel, fosse até a Terra acabar com a falta de leis. Então Gabriel, com os anjos Miguel, Uriel e Rafael, fez com que os néfilins declarassem guerra uns aos outros. Seus pais, os Grigori, foram relegados ao inferno por toda a eternidade, por todos os pecados que haviam levado à Terra.

Depois Deus falou com Noé, bisneto de Enoque, instruindo-o a salvar sua família e os animais de um grande dilúvio que limparia a Terra dos humanos corrompidos. E Enoque, que não morreu, mas foi levado por Deus e transformado no anjo Metatron, guardou o trono de Deus, inventou a arte da escrita e transmitiu as palavras Dele àqueles que estavam na Terra.

Quando Cabot Searcy ficou sabendo que seu colega de quarto e amigo tinha se suicidado, entrou imediatamente no banheiro da casa dos pais, jogou água morna no rosto e ficou se olhando no espelho enquanto lágrimas começavam a escorrer pela sua face. Benton, ele pensou, não pularia de um campanário no dia de Natal. Mas pulara, e agora Cabot Searcy enfrentaria seu segundo semestre na faculdade sozinho, sem o amigo. Após secar o rosto, abriu bem os olhos, endireitou os ombros e saiu do banheiro, quando foi interceptado pela irmã caçula, Megan, que rugiu como um leão e fingiu arranhar seu peito.

Não deveria ser sua responsabilidade, mas Cabot Searcy já tinha esperado duas longas semanas até a família de Benton Sage mandar alguém pegar as coisas dele; ninguém veio, então ele começou a encaixotar a metade do quarto que não lhe pertencia. Fazendo isso, sentia que conseguiria evitar se distrair demais com a morte de Benton e tocar a vida adiante.

No segundo dia da lenta retirada das coisas de Benton, Cabot Searcy deparou-se com um álbum etiquetado com uma faixa de fita adesiva e caneta preta. Dizia: FAMÍLIA.

O álbum era como qualquer outro. Tinha algumas fotos de infância, brincadeiras no quintal e à beira da piscina, coisas assim. Havia várias fotografias de Benton adolescente, sentado no sofá com as irmãs ou fazendo careta para a câmera enquanto fazia a lição de casa. Uma delas mostrava Benton pendurado de cabeça para baixo em um balanço, com a mãe bem perto dele, olhando com doçura em sua direção. E apenas uma foto mostrava seu pai, vestindo terno e gravata, ombros largos e fortes, bigode muito bem aparado. Benton estava ao lado dele, um pequeno espaço entre os braços dos dois, sorrindo de modo aparentemente constrangido. Na última página havia uma fotografia de Benton ao lado de um homem negro muito alto e muito magro, cujo sorriso parecia não dar muita margem para o de Benton, que estreitava os olhos, dando um leve riso forçado enquanto o homem apertava seu ombro com força.

Três caixas eram mais que suficientes para todas as coisas de Benton, então Cabot Searcy iniciou a tarefa final, que consistia em tirar os lençóis e a colcha da cama do amigo, planejando levar tudo para baixo, para que, com sorte, alguém enviasse pelo correio aos pais de Benton. No entanto, foi quando tirou o lençol de baixo que Cabot encontrou o que parecia ser um tipo de diário enfiado sob o colchão. O caderninho era estreito: tinha uma capa que parecia papelão e um elástico em volta. Cabot sentou-se no chão, ao lado da cama, e continuou a dobrar os lençóis, empilhando-os com cuidado na última caixa. Sentou-se em sua cama, olhando para o caderno. Pegou-o e colocou-o ao seu lado. Pegou-o mais uma vez e depois o largou novamente. Carregou a primeira caixa, que continha principalmente livros e CDs, até o primeiro andar. Quando voltou para o quarto, foi direto para o caderninho. Rapidamente retirou a faixa elástica e abriu na página um. Dizia, em tinta preta:

Atenção: as páginas seguintes, usadas como diário ou para anotar ideias, certamente estão repletas de melancolia, cinismo e angústia.

Cabot riu enquanto virava as páginas do caderno e encontrava reflexões muitas vezes curtas e aleatórias sobre coisas, desde frases estranhas que Benton escutara em programas de televisão a que assistira até pessoas que havia encontrado. A primeira anotação de todas datava de cerca de três meses antes do início da faculdade, então Cabot passou rapidamente as páginas até encontrar o ponto em que os dois haviam se conhecido. A página que tinha o número quarenta e sete no canto superior começava assim:

Conheci meu novo colega de quarto hoje. Ele parece bem legal, mas eu nunca vou querer deixá-lo irritado.
Acho que parece gostar de mim, o que é bom. Ele já estava flertando com as meninas do quarto ao lado.

Cabot Searcy riu. Fechou o caderninho, carregou a segunda caixa pelo corredor e desceu os três andares até o térreo. Antes de pegar a terceira, jogou o pequeno caderno sobre os lençóis e começou a descer as escadas pela última vez. Em frente à sala onde deixara as duas primeiras caixas, Cabot deixou a última, surrupiou o livro de cima, enfiou-o no bolso de trás e deixou o restante das coisas lá, como já fizera duas vezes antes. De volta ao quarto, colocou o caderninho na gaveta do criado-mudo e foi dormir.

Em 1773, um explorador escocês chamado James Bruce ouviu rumores de que existia uma cópia do Livro de Enoque na Etiópia. Lá, descobriu três cópias de um texto antigo e voltou para a Europa com eles, levando-os para uma posterior tradução para o inglês pelo professor de Oxford Dr. Richard Laurence. Na época, os livros estavam desaparecidos havia quase mil anos, banidos da igreja por teólogos poderosos que alegavam que o texto era herege e ordenaram que todas as cópias fossem queimadas ou rasgadas. Mais tarde, cópias do livro foram encontradas entre os Manuscritos do Mar Morto, com data anterior a Jesus Cristo; ele próprio, segundo dizem, fez referência a isso por meio de suas ideias e elaborações sobre a queda e o julgamento do homem. Embora muitos teólogos cristãos e judeus deem pouco ou nenhum crédito ao livro, que já foi considerado um apócrifo, ou escrito secreto, do Novo Testamento, existe uma igreja que o inclui na Bíblia cristã, e é a Igreja Ortodoxa Etíope. Tal igreja também adota muitas práticas rígidas igualmente promovidas pelo judaísmo ortodoxo e tem cerca de quarenta milhões de seguidores, como Rameel e Isadora Desta, de Adis Abeba.

Bastaram duas noites folheando casualmente o caderno para que Cabot Searcy lesse todas as anotações, na maioria cômicas, de Benton Sage. Ele rira alto ao ler a descrição que Benton fizera dele: "parece muito mais esperto do que realmente é". O diário não estava nem na metade, e, embora tenha hesitado por um instante, Cabot Searcy decidiu escrever algo na primeira página em branco que viu. Vasculhou o fundo de sua mochila de livros até finalmente encontrar uma caneta e, depois de tirar a tampa com os dentes, começou a escrever.

Benton Sage morreu ao pular de um campanário no Natal. Sentiremos muito a sua falta.

Com isso, Cabot Searcy decidiu que talvez fosse hora de encontrar outra coisa para fazer com o caderno, simplesmente porque a ideia de guardar algo que pertenceu a uma pessoa morta o deixava incomodado, o que explicaria as duas noites seguidas em que não conseguira dormir. E, justo quando estava prestes a recolocar o elástico ao redor do caderno, Cabot usou o polegar para passar rapidamente por suas páginas, fazendo um barulho que ele lembrava ter sido provocado por um idoso na igreja, anos antes. Fez novamente, no entanto, porque pensou ter visto algo nas páginas próximas ao fim. Parou de folhear, virou algumas páginas e logo viu, escrito em tinta preta:

> *Restaura a terra, a qual os anjos corromperam; e anuncia vida a ela, para que Eu possa recebê-la. Todos os filhos dos homens, sua descendência, não perecerão em consequência de todo segredo, pelo qual os Vigilantes têm destruído, e o que eles ensinaram. Toda a terra tem se corrompido pelos efeitos dos ensinamentos de Azazel. A ele, portanto, se atribui todo pecado.*
>
> — *Livro de Enoque,* 10:10-12

Capítulo 11

Vilonia Kline

Como a recusa de meu pai em voltar ao trabalho praticamente esgotou nossos fundos, minha família decidiu aceitar doações mediadas pelo banco local, organizadas pela Primeira Igreja Metodista Unida de Lily, que frequentávamos duas vezes por ano. O site que meu pai criou só serviu como fórum para alguns babacas enviarem informações falsas sobre meu irmão e algumas donas de casa de estados vizinhos escreverem para expressar suas "sinceras condolências" e bobagens do tipo. A pesquisa de Lucas só serviu para transformá-lo no sujeito mais paranoico que eu já conheci, e minha mãe finalmente aceitou o fato de que as pessoas, mais cedo ou mais tarde, deixariam de tolerar péssimos cortes de cabelo só porque se sentiam mal por ela.

Eu, por outro lado, encontrei um estranho refúgio estando com Ada Taylor, que rapidamente descobri ser muito mais que uma menina bonita que usava short jeans desabotoado com a parte de cima do biquíni.

— Talvez ele simplesmente tenha acordado e dito: "Dane-se", e entrado em um trem para, sei lá, o Novo México ou algo do tipo — Ada sugeriu, passando os dedos levemente pelos meus cabelos enquanto eu deitava a cabeça em seu colo.

— Ele não faria isso — respondi.

— Ou talvez — ela continuou — ele fosse espião do governo todo esse tempo e esteja sendo feito refém na Rússia ou algo parecido. Talvez seu irmão seja o homem mais perigoso do planeta! — Ela riu.

— Talvez — eu disse.

— Você espera que ele tenha fugido, Cullen? — perguntou ela, ainda praticamente despreocupada.

— Espero que o céu tenha se aberto e meu irmão tenha flutuado direto para dentro dele.

— Eu também, então — concluiu ela, inclinando-se para beijar minha testa.

Em algum momento da semana seguinte, eu já tinha concluído que até mesmo Ada Taylor estava me dando atenção e afeto apenas por sentir pena de mim, e eu ainda estava perdidamente apaixonado por ela. Lucas me disse que ela acabaria sendo o meu fim, e, quando eu o lembrei de que, de qualquer modo, tinha pouco pelo que viver, ele ficou dois dias inteiros sem falar comigo. Quando, no entanto, voltou à minha casa, foi com Mena Prescott ao lado e um sorriso forçado no rosto.

— Sinto muito, Cullen. Perdi a cabeça — ele explicou, olhando para o chão.

— Tudo bem, Lucas. Você pode perder a cabeça de vez em quando — afirmei.

— Ai, vocês dois deviam se beijar e oficializar a relação! — Mena gritou, cruzando os braços e inclinando a cabeça de lado.

— Ah, não com você aqui. — Lucas brincou.

— É, vamos esperar até você pegar no sono no cinema — eu disse, piscando.

— Certo, já basta. Vocês estão me assustando — censurou Mena.

Mena Prescott havia se tornado, em algum momento daquele

verão, alguém que aprendi a apreciar de verdade, algo que não faço facilmente com a maioria das pessoas. Pelo menos uma noite por semana desde o desaparecimento de Gabriel, Mena aparecia em nossa casa com uma sacola cheia de compras e preparava uma refeição completa, com sobremesa e tudo. Também tinha começado a ajudar minha mãe no salão, recusando pagamento, e perturbado o editor do *Lily Press* para veicular a foto de Gabriel na primeira página até ele ser encontrado. Todos hesitamos em perguntar de que maneira ela havia conseguido esse último feito, e, de qualquer modo, estávamos gratos demais para dar importância a isso. E, quanto mais eu começava a apreciar o que ela fazia por minha família, menos seu sotaque e sua hiperatividade me incomodavam. E, independentemente de Lucas amá-la de verdade ou não, ele parecia estar passando cada vez mais tempo com Mena e menos tempo sentado no balcão da loja enquanto eu estocava cigarros nas prateleiras e passava o esfregão no chão.

A estrada estava vazia e deserta, e todas aquelas coisas que uma estrada não deve ser quando se está dirigindo às 23h55, depois de sair da casa da nova namorada e ficar se perguntando se ela existe mesmo ou se é parte de sua imaginação — algum mecanismo mental de resistência que toma conta dos pensamentos e das ações. Eu comecei a pensar em meu irmão e em como, quando estava no carro à noite, ele sempre abria a janela e apoiava a cabeça na porta, olhando fixamente para o céu e assoviando ou cantarolando alguma música com a qual estivesse obcecado. Meu irmão frequentemente ficava obcecado por músicas. O mesmo acontecia com livros, o que ficava evidente ao olhar para seu bolso traseiro, em um dia qualquer, e encontrar uma cópia cheia de marcas de dedo de *O apanhador no campo de centeio*, que li em voz alta para ele quando ele tinha apenas 12 anos. Na semana anterior à sua partida, Gabriel disse que havia lido o livro pela décima primeira vez.

Quando cheguei em casa, fui para o quarto de Gabriel procurar pelo livro. Estava na primeira gaveta da cômoda, ao lado da carteira vazia e de uma revista sobre bandas e músicos dos quais eu nunca tinha ouvido falar, mas eu sabia que Gabriel era especialista. Havia um pedaço de papel dobrado marcando a última página do livro que ele lera, e, quando eu o abri, o marcador caiu no chão. Eu o peguei e comecei a desdobrá-lo, nem mesmo fingindo hesitar um pouco por estar sendo intrometido. Nele, estava rabiscado algo com uma letra que mal dava para decifrar, mais uma coisa que eu e meu irmão tínhamos em comum, e dizia:

> *Você veio nos pegar. Todas as coisas se vão, todas as coisas se vão. Para nos recriar. Todas as coisas crescem, todas as coisas crescem. Tínhamos nosso modo de pensar. Todas as coisas sabem, todas as coisas sabem. Você teve que encontrar. Todas as coisas se vão, todas as coisas se vão.*

Quando meu irmão não encontrava nada melhor para fazer, anotava a letra de qualquer música que estivesse passando por sua cabeça. Em geral, era algo que eu nunca tinha ouvido antes. Nesse caso em particular, tratava-se de uma canção sobre um homem dirigindo com um amigo a Chicago e dormindo em estacionamentos. Uma vez, cerca de um ano e meio antes, encontrei um caderno com páginas e mais páginas de músicas, todas as quais tocavam na cabeça de meu irmão. Ele nunca as cantava, apenas anotava com precisão, como se tivesse sido designado a fazer isso. Do mesmo modo, sempre que eu pensava em uma conversa que fora especialmente engraçada ou esclarecedora, costumava anotá-la em meu caderno, o mesmo em que anotava os títulos de livros. Um exemplo de uma dessas conversas foi uma que tive com o policial Lansing, do Departamento de Polícia de Lily, no dia seguinte ao desaparecimento de meu irmão. Foi mais ou menos assim:

— Você disse que viu seu irmão ontem à tarde, certo?

— Sim. Ele estava sentado no quarto — respondi, mecanicamente.

— Sobre o que vocês dois conversaram?

— Pássaros.

— Pássaros? — perguntou Lansing rapidamente.

— Bem, na verdade estávamos falando de hambúrgueres.

— Hambúrgueres? Então não eram pássaros?

— Estávamos falando sobre o Lázaro Burger e que ele não passava de um Número Três sem queijo — eu ri.

— Não é muito bom, né? — O policial Lansing brincou, deixando um pouco de lado o comportamento sério.

— É só um Número Três — respondi, sacudindo a cabeça.

O Dr. Webb diz que às vezes os irmãos de uma criança desaparecida passam por um tipo estanho de ataque de raiva. Isso acontece quando a criança que não está desaparecida começa a se sentir amargurada em relação àquela que desapareceu somente porque ele ou ela está recebendo toda a atenção das pessoas próximas. É um daqueles conceitos estranhos, como a síndrome de Münchausen, em que alguém se faz de doente apenas para que os outros lhe deem atenção. Vou dizer uma coisa: não implorei a atenção de ninguém. Na verdade, achava que toda a atenção que estava recebendo era muito perturbadora. A parte de que menos gostei naquele verão foi a forma como os estranhos me olhavam nas lojas, nos restaurantes e em lugares desse tipo. Eu passava por eles ou entrava em uma sala e, de repente, como se tivessem treinado e estivessem esperando uma oportunidade para colocar em prática, as pessoas baixavam a cabeça ou se viravam para alguém ao lado e começavam a sussurrar, dizendo coisas como, presumo: "Aquele é o irmão do menino" e "Ainda não encontraram seu pobre irmão" e "Ele parece estar aguentando bem, mas ouvi dizer que sua mãe está enlouquecendo".

Naquele verão, não era minha mãe que estava enlouquecendo, e sim meu pai. Depois que o site em que ele gastara uma fortuna não resultara em nada além de perda de tempo, ele começou a ler livros e mais livros sobre crianças desaparecidas. Minha mãe, por outro lado, fingia que estava tudo bem. Talvez ela também estivesse enlouquecendo, porém era uma loucura menos ofensiva e escancarada, então ficava um pouco mais fácil engolir.

Um dia depois que se passaram seis semanas do desaparecimento de Gabriel, meu pai levou Vilonia Kline para nossa casa e a convidou para se sentar na sala. Minha mãe, Lucas Cader, Mena Prescott e eu ficamos de frente para ela, do outro lado do cômodo. Meu pai, de maneira um tanto quanto desajeitada, apresentou-a como "alguém que acho que pode nos ajudar a encontrar Gabriel".

— O quê? — perguntou minha mãe.

— Sarah, a Sra. Kline é uma guia espiritual — meu pai começou a explicar.

— Ah, faça-me o favor... — minha mãe o interrompeu.

— Mãe — sussurrei, cutucando seu braço com o cotovelo.

— A Sra. Kline concordou em nos ajudar, então peço que sejamos compreensivos enquanto ela nos faz algumas perguntas, certo? — Meu pai permaneceu calmo e decidido.

— Está bem — disse minha mãe.

— É claro — concordei.

Lucas Cader e Mena Prescott não disseram nada, mas me olharam com cara de quem estava prestes a rir ou sair correndo pela porta. Não fizeram nenhuma das duas coisas.

— Primeiro, preciso de uma camisa de Gabriel. Algo que ele usava sempre, sua camiseta preferida ou algo do tipo — disse a Sra. Kline, de modo mais equilibrado que o esperado.

Meu pai entregou a ela a camiseta preferida de Gabriel, uma preta com Pink Floyd escrito no peito.

— Certo. Gabriel tinha algum passatempo ou esporte favorito? — perguntou ela, conseguindo olhar para todos nós de uma só vez.

— Ele lia muitos livros — respondeu Lucas, olhando na direção da minha mãe em busca de uma aprovação silenciosa de sua participação.

— Sim, e ouvia muita música — meu pai acrescentou.

— Bem. Deixe-me ver. — A Sra. Kline fechou os olhos e pensou por um instante. — Tragam-me o livro que possa ser o preferido dele, ou talvez o último que ele tenha lido, e começaremos por aí, certo?

Vilonia Kline, que meu pai disse ter ajudado a solucionar outros casos de pessoas desaparecidas, segurou a camiseta de meu irmão, sua cópia de *O apanhador no campo de centeio* e a última foto que ele havia tirado na escola. Fechou os olhos. Olhamos uns para os outros com as sobrancelhas erguidas, esperando desconfortavelmente, balançando de um lado para o outro. Eu mordia os lábios e batia cada um dos dedos das mãos no polegar repetidas vezes.

— Ele era um garoto inteligente. — A Sra. Kline rompeu nosso doloroso silêncio.

— Era, sim — meu pai concordou.

— E era engraçado também, não era?

— Com certeza — disse Lucas.

— Qual foi o último lugar em que qualquer um de vocês o viu?

— No quarto dele — respondi.

— Posso ver? — ela pediu, levantando-se, ainda segurando os pertences dele.

Ela se sentou na beirada da cama de Gabriel, tocando de leve o travesseiro com a mão direita, retorcendo os dedos como se fossem minhocas. Ficamos no corredor, meus pais meio dentro e meio fora do quarto. Ela se deitou na cama e colocou a cabeça no lugar em que a de meu irmão estava na última vez em que eu o vira. Nós todos nos aproximamos alguns centímetros, lentamente, quando ela fez isso, mas logo voltamos às posições em que estávamos e observamos. De olhos fechados, ela começou a cantarolar. Tenho quase certeza de que era uma versão bem lenta de "Stairway to Heaven". Olhei para Lucas. Ele estava irritado. Mena segurava a mão dele e retorcia os cabelos com nervosismo. Minha mãe olhava fixamente para o meu pai, com expressão de desgosto e pena. Vilonia Kline rompeu o silêncio mais uma vez, levantando-se.

— Ele era religioso, não era? — perguntou ela, em voz alta.

— Por que diz isso? — indagou minha mãe.

— Muitas orações foram feitas aqui.

Uma única lágrima correu rapidamente pela lateral do rosto de meu pai. Minha mãe chegou mais perto dele e colocou a mão em seu ombro. A testa de Lucas Cader estava apoiada de leve em meu ombro, até que ouvi uma fungada e ele rapidamente percorreu o corredor e saiu. Mena o seguiu. Eu permaneci no mesmo lugar. Olhei dentro dos olhos verde-claros de Vilonia Kline e me aproximei.

— Você pode encontrá-lo? — perguntei, com calma.

— Ele não está perto da água — disse ela.

— É isso? É tudo o que pode dizer? — Aproximei-me ainda mais.

— Ele deixou muita energia aqui. Tinha um espírito forte.

Não me lembro de ouvir mais nada enquanto caminhava pelo corredor. Era como se o apito em meus ouvidos fosse tão alto que o ruído se transformava em silêncio. A porta se abriu, batendo na parede externa, e desci os degraus da frente. Lucas e Mena estavam sentados no último, ambos olhando para o chão. Passei por eles. Segurei a cabeça entre as mãos, puxando os cabelos para trás. Levei as mãos de volta para a frente e cobri os olhos e a boca.

— O que foi, Cullen? — perguntou Lucas, em voz baixa.

Eu não disse nada.

— Cullen, por que não se senta? — Mena sugeriu.

Eu não me sentei.

— Cullen! — Lucas se levantou, segurando meus dois braços e me sacudindo de leve.

— Ela disse que ele TINHA um espírito forte! — gritei, agora com lágrimas escorrendo para a boca.

— O quê? —Lucas perguntou, ainda segurando meus braços.

— Ela disse que ele *tinha* um espírito forte! — gritei. — Ela disse *tinha.*

Agachei-me até o chão, e Lucas, sem me soltar, abaixou-se comigo. Nós nos sentamos na grama. Mena ficou de pé, olhando para nós.

— O que ela sabe, Cullen? — Lucas sussurrou. — Ela não sabe de nada. Ela não sabe.

— Mas e se souber? — perguntei.

— Ela não sabe.

Ele me olhou com um meio sorriso. Sequei os olhos com a gola da camiseta e me levantei. Sentei-me no último degrau que dava para a varanda, e Lucas e Mena se sentaram ao meu lado. Comecei a rir. Ainda sentia o gosto das lágrimas, ainda sentia a meleca escorrendo do nariz.

— Qual é a graça? — Mena perguntou.

— Tem uma vidente em minha casa e eu estou chorando na varanda.

— E? — Lucas indagou.

— E estou imaginando o quanto isso ainda pode ficar mais absurdo.

— Bem — Lucas começou a dizer —, alguns caras disseram que viram o Lázaro ontem. Disseram que ele desceu até a frente da picape deles, bem atrás de um caminhão, na Estrada Dezenove. É absurdo o bastante para você?

— É. Pelo menos não estou vendo pássaros imaginários como todo mundo — afirmei, sabendo que havia tido uma conversa imaginária com o pássaro apenas seis semanas antes.

Quando os pais de alguém saem correndo de casa, seguidos por uma vidente que ainda está com a camiseta e o livro de seu irmão desaparecido nas mãos, a pessoa se levanta, olha nos olhos de sua mãe e se pergunta para onde estão indo. Olha para o seu melhor amigo, que estava se segurando para não chorar, e vê que até ele parece estar acreditando nesse terrível drama. Ele segue sua mãe. Ela se vira e diz: "Estamos indo encontrar seu irmão", e entra no banco de trás da picape do pai. Ele faz sinal para que seu melhor amigo e Mena se aproximem, deixa-os entrar primeiro e depois se espreme no banco de trás lotado enquanto tenta fechar a porta. Olha pela janela enquanto passam pela cidade. Sua testa está colada no vidro.

Título de livro número 80: *O olhar dos estranhos nas lojas.*

Capítulo 12 Os Vigilantes

A bibliotecária disse a Cabot Searcy que ele poderia encontrar uma Bíblia Ortodoxa Etíope na seção de Teologia, no sétimo andar, e que ele tinha sorte de o Dr. Sentell ter decidido usar esse livro como referência em um de seus cursos sobre divindades três semestres antes. Cabot sorriu para ela, agradeceu e esperou as portas do elevador se abrirem. Lá dentro, releu a pequena folha de papel que tinha nas mãos. Estava escrito: *O Livro de Enoque é encontrado apenas na Bíblia Ortodoxa Etíope. É uma Escritura secreta.* Ele anotara isso depois de ficar uma hora pesquisando em vez de ir à palestra sobre anatomia humana naquela manhã.

As portas do elevador se abriram. Cabot Searcy foi recebido com olhares silenciosos enquanto caminhava com lentidão, porém confiante, até os fundos da sala. Ele se agachou, analisando fileira após fileira de livros, passando os dedos de leve pelas lombadas, movendo os olhos de um lado para o outro. Quando encontrou o que procurava, puxou o pesado livro até a mesa mais próxima e se sentou, olhando para trás como se estivesse fazendo algo sigiloso ou errado. Ele o abriu.

A Bíblia Ortodoxa Etíope é formada pelo maior cânone de todas as Bíblias impressas no mundo moderno. Cabot Searcy, criado em uma Igreja Batista do Sul na Geórgia, conhecia muito pouco sobre a Escritura antes desse primeiro encontro. Ele observou o sumário e depois abriu em I Enoque. Este livro, mais comumente conhecido como o Livro de Enoque, é dividido em cinco seções principais: Livro dos Vigilantes, Livro das Parábolas, Livro Astronômico, Livro dos Sonhos e A Epístola de Enoque. Cabot Searcy foi direto para o capítulo dez, para ler a citação que Benton deixara para trás. Estava no Livro dos Vigilantes, que serviria como foco do empenho de Cabot Searcy.

A passagem estava destacada em amarelo, fazendo com que Cabot erguesse uma sobrancelha enquanto lia, palavra por palavra, as linhas que o levaram à biblioteca naquela manhã. E, embora já estivessem destacadas, as palavras "anjos corromperam" estavam também circuladas com caneta preta. E, mais adiante, na mesma página, outra linha estava destacada e também circulada. Ela dizia.

Destrói todas as almas viciadas na luxúria e a descendência dos Vigilantes, pois eles tiranizam a humanidade.

E, mais adiante ainda, outra linha estava marcada de forma similar. Dizia:

Purifica a terra de toda a opressão, de toda a injustiça, de todo o pecado, de toda a impiedade e de toda a impureza que é cometida sobre ela. Extermina-os da terra.

E, no fim da página, estava escrito algo em letras tão miúdas que Cabot Searcy foi obrigado a apertar os olhos e aproximar o rosto do livro o máximo possível. Ele conseguiu decifrar o que estava escrito, em letra cursiva e tinta preta: *os anjos ensinaram muito aos humanos. E se não tivessem sido detidos?*

Sentindo uma espécie de necessidade, Cabot Searcy comparou as palavras anotadas no Livro de Enoque com aquelas que estavam no diário de Benton Sage e, para sua alegria, teve a impressão de que eram muito parecidas. Agora Cabot Searcy sentia que havia recebido algum tipo de missão póstuma de Benton. Uma tarefa virtuosa de descoberta. Uma busca pela verdade por trás da existência. Cabot Searcy, de repente, se viu consumido por pensamentos prepotentes de como poderia, sozinho, salvar a humanidade.

Lendo o Livro dos Vigilantes, Cabot começou a entender o que ele acreditava que Benton escrevera em seus rabiscos. Leu sobre a queda dos anjos, Deus falando com Noé, o Grande Dilúvio. Leu em sua Bíblia e na Etíope também. Ficava alternando entre uma e outra, do Gênesis a Enoque. De Enoque ao Gênesis. Leu que os anjos ensinaram aos humanos a arte da guerra, astrologia e anatomia. Leu que os filhos dos anjos se tornaram feras desgovernadas e selvagens. Começou a juntar as peças do quebra-cabeça de Benton Sage em sua mente. A única coisa que descobrira no diário de Benton e que ainda precisava se encaixar no restante do quebra-cabeça era como a visão que Benton tinha de Deus, do anjo Gabriel e de um pássaro grande se adequava ao panorama geral. Tudo o que ele sabia é que tinha que continuar com o trabalho que Deus, a seu ver, designara a Benton. Ele, de alguma forma, tinha que mudar o mundo.

— Vou lhe contar por que Noé teve que construir a arca — Cabot disse ao novo colega de quarto, no decorrer daquele próximo semestre.

— O quê? — Chuck Stoppard perguntou da cama, onde estava deitado jogando *video game*.

— O *dilúvio*. Vou contar por que Deus mandou o dilúvio e fez Noé construir a arca.

— Está bem. — Chuck Stoppard não tirou os olhos do jogo.

— Foi porque estávamos ficando espertos demais. Veja bem, esses anjos caídos…

— Anjos caídos? — Chuck interrompeu.

— Isso mesmo. Uns anjos caídos desceram, começaram a dormir com as mulheres aqui da Terra e a nos ensinar todas essas coisas sobre lutar e entender a ciência, as estrelas e o nosso corpo, e Deus olhou para baixo e pensou: "Aqueles humanos estão aprendendo demais com os anjos. Isso precisa parar antes que eles fiquem extremamente poderosos". Então, enviou Gabriel para matar os anjos, e depois de um tempo falou com Noé e mandou o dilúvio para matar todos os humanos que tinham ficado espertos demais.

— Ah — Chuck Stoppard conseguiu dizer.

— Sim. É muito louco. Eu sei.

— Muito louco — disse Chuck, com sarcasmo.

— Pense só. Se Gabriel não tivesse acabado com tudo, hoje os humanos poderiam ser muito mais espertos. Saberíamos tudo. Saberíamos como acabar com as guerras, curar doenças e toda essa merda. — Cabot folheou a Bíblia, apoiando-a sobre o peito, deitado na cama.

— Cabot — disse Chuck Stoppard de sua cama.

— O quê?

— Eu sou ateu — Chuck afirmou, mentindo apenas para não precisar ouvir mais as teorias de Cabot Searcy sobre o potencial da humanidade.

Capítulo 13

A COISA mais SIMPLES do MUNDO

Estávamos em um campo que fora todo devastado, e o que restava não passava do que parecia uma triste e antiga zona de guerra. A grama estava praticamente morta, a terra passara de marrom a cinza, e a única árvore ainda de pé estava desfolhada e inclinada como um monstro assustando uma criança em seus pesadelos. Vilonia Kline estava diante de nós, mãos estendidas, olhos fechados novamente, lábios tremendo, murmurando algo muito importante ou uma tremenda bobagem. Lucas olhava para mim como alguém faz quando uma vidente está de pé em um campo, diante dele, falando com a terra. Mena Prescott segurava na mão de minha mãe, e meu pai estava encostado na picape, olhando fixamente para a mulher que murmurava. Ela caminhou quase cem metros, parou e depois se virou. Os olhos se abriram. Os ombros foram jogados para trás. Ela colocou as mãos na lateral do corpo.

— Ele está aqui — disse a mulher, em voz baixa, mas alto o bastante para ser ouvida, apontando para o chão sob seus pés.

— Aqui. — Minha mãe balançou os braços para abranger o campo todo. — Ou ali? — ela perguntou, apontando para o solo sob Vilonia Kline.

— Aqui — Vilonia repetiu, apontando para baixo.

Ninguém, para minha surpresa, tinha começado a chorar. Ninguém estava falando. Lucas olhou para meu pai, que olhou rapidamente para mim, enfiando a mão na traseira da picape e tirando uma pá. Ele a jogou no chão, na minha frente. Depois pegou outra e apoiou no ombro direito, andando na direção da mulher. Lucas Cader aproximou-se e pegou a pá, olhou para mim e disse:

— Espere no carro.

Fiz o que ele disse, e Mena Prescott foi comigo. Minha mãe se sentou no capô do carro, observando os dois cavarem a terra morta. Vilonia Kline sentou-se sobre a terra ao lado deles, vendo o buraco ficar cada bem mais largo e mais fundo a cada escavada.

Quando alguém está sentado no banco de trás da picape do pai, ao lado da namorada do melhor amigo, que está com a cabeça apoiada em seu ombro, observando o pai e o melhor amigo perfurarem o mundo lentamente para encontrar o irmão caçula, ele imagina Vilonia Kline se levantando, tirando a poeira da saia longa e entrando no buraco. Ele a vê saindo, segurando uma camiseta suja, manchada de sangue. Ela estica a camiseta, abrindo-a diante do peito como uma mãe faria com o filho em uma loja de roupas, e ela é preta, com um grande anjo branco no centro. Era a última camiseta que Gabriel Witter fora visto usando. Ele vê Vilonia Kline colocar a camiseta no chão com cuidado e voltar para o buraco, enquanto seu pai e seu melhor amigo continuam a cavar ao redor dela. Ela sai novamente, agora segurando um jeans azul, joelhos sujos de grama e terra, sangue ressecado nas barras, bolsos furados e descosturados. Era a última calça que Gabriel Witter fora visto usando. Ela coloca o jeans com cuidado embaixo da camiseta e começa a caminhar, rodeando lentamente os trajes, entoando um canto e erguendo as mãos. Atrás dela, da terra, surge Gabriel Witter nu, cabelos cobertos de sangue e sujeira. Sua pele é muito branca em alguns pontos, mas quase preta em outros. Ele se vira na direção da picape, olha diretamente para seu irmão mais velho e sorri muito discretamente.

— Não posso acreditar nisso! — disse Vilonia Kline ao meu pai, em tom frustrado, quando voltávamos para casa.

— O quê? — perguntou minha mãe.

— Vocês não cavaram fundo o bastante. Precisamos voltar. — Vilonia cruzou os braços.

— Sra. Kline, se não se incomodar, poderia por favor ficar quieta pelo resto do trajeto? — meu pai disse com aspereza, ainda com terra espalhada na testa.

— Acho que cavamos uns... três metros — Lucas afirmou em voz baixa, o suor escorrendo de seu nariz.

Minha mãe olhou feio para o meu pai, como uma esposa faz, e depois se virou para mim. Levou uma mão às costas, colocou-a em cima da minha, escorregou de um lado a outro duas vezes e então se virou. Mena Prescott estava adormecida com a cabeça encostada na janela. Lucas Cader estava tirando terra seca do joelho de sua calça jeans. Vilonia Kline olhava pelo para-brisa com a boca bem fechada. Estava sentada entre meu pai e minha mãe, como uma criança a caminho de um churrasco. Ela me lembrava a tristeza.

Ver meu irmão como um zumbi, ou o que quer que fosse, me fez pensar em Russell Para Man e em como eu provavelmente nunca mais o veria de novo. Ele ainda estava na Flórida, ainda em uma cama de hospital, e eu ainda estava pegando sua ex-namorada no banco traseiro do carro de minha mãe. Ada uma vez me disse, logo depois que começamos a nos conhecer melhor, que Russell Para Man, embora fosse um tremendo babaca, era, na verdade, uma das pessoas mais sensíveis que ela conhecera.

— Ele chorava pelas coisas mais estranhas — disse ela —, como um cachorro morto no acostamento da estrada ou um cheiro que o fizesse lembrar de sua avó.

— Ele chorou quando vocês terminaram? — perguntei.

— Se debulhou em lágrimas como um bebê.

— Naturalmente — brinquei.

— Você não choraria? — perguntou ela.

— Veremos — eu disse simplesmente.

— Rá! O que isso significa?

— Apenas que veremos.

Ada Taylor disse que minha amizade com Lucas Cader devia ser a única coisa que me fizera conseguir suportar a loucura daquele verão. Seguem mais algumas coisas que eu sabia sobre Lucas Cader: seu pai era um bêbado que costumava pagar para ele e o irmão mais velho brigarem em frente de casa. A mãe era aquele tipo de mulher que raramente fala e, em geral, diz algo, de modo não intencional, muito triste quando abre a boca. Ela deixava o marido bater nos dois filhos pequenos, então nunca perdi muito tempo tentando conhecê-la. Nem Lucas. O pai de Lucas os deixou no meio da noite, quando ele tinha 9 anos. O irmão de Lucas, a caminho de se tornar um alcoólatra igual ao pai, morreu em um acidente de carro três anos depois. Lucas Cader havia namorado todas as meninas de nossa turma e quase todas da escola quando estávamos no segundo ano do ensino médio. Ele ainda passava a maior parte do tempo comigo e dormia no chão do meu quarto umas quatro noites por semana. Eu amava Lucas Cader, no sentido não sexual, e tudo isso era muito conveniente para mim. E Lucas Cader estava com o coração tão partido quanto eu no que dizia respeito a Gabriel, senão mais.

O comentário de Ada, de que Lucas estava me salvando mais uma vez, me fez pensar se eu já tinha feito algo por ele. Não consegui me lembrar de uma única vez em que o ajudei, dando-lhe carona para algum lugar, ou defendendo-o de algum imbecil, ou consolando-o pela perda de *seu* primo, ou pela morte de *seu* irmão. Não conseguia me lembrar de Lucas Cader ter necessitado de mim para nada, exceto por minha capacidade única de constantemente precisar ser resgatado por ele por um ou outro motivo.

— Lucas — eu disse, certa noite, deitado na cama, na direção do chão.

— O que foi?

— Por que você é meu amigo?

— Que pergunta idiota.

— Por quê? Porque não tem resposta?

— Não, porque é como perguntar por que as pessoas se espreguiçam quando acordam ou pulam quando levam um susto — ele disse, com firmeza.

— Hã?

— Essas coisas simplesmente acontecem, Cullen. Você simplesmente *é* meu amigo. É isso. Não é necessário explicar.

— Então você é meu amigo só porque é meu amigo? — eu ri.

— Isso mesmo. Eu simplesmente sou. É a coisa mais simples do mundo.

Título de livro número 81: *A cama do pesadelo.*

— Você se lembra de quando Gabriel decidiu que não gostava mais de brinquedos? — minha mãe me perguntou uma manhã, daquele jeito que diz estou-falando-sobre-o-passado-e-sendo-bizarramente-nostálgica.

— Lembro.

— Nós guardamos todos aqueles bonequinhos em sacos. Devia ter, sei lá, uma centena deles — disse ela.

— No mínimo — acrescentei.

— Acho que vendemos sacos com uns vinte bonequinhos por cinquenta centavos naquele bazar que fizemos. E ele não derramou uma lágrima. Acho que estava pronto.

— Pronto para quê? — perguntei.

— Pronto para crescer — respondeu ela.

— Acho que sim.

— Você nunca brincou muito com brinquedos quando era criança. Estava sempre no quintal, inventando aqueles cenários estranhos e lutando com piratas e monstros imaginários. Era a coisa mais fofa.

— É? — perguntei.

— Era como observar alguém com múltiplas personalidades — disse ela, rindo.

— Obrigado, mãe.

Antes de Lucas Cader se mudar para Lily e se tornar meu amigo, eu passava a maior parte do tempo com meu irmão ou completamente sozinho. Gabriel, no entanto, não gostava muito de sair, nadar, nem nada do tipo. Gostava de ficar em casa, ler livros, ver TV e fingir que tinha crescido. Eu nunca quis me sentir grande, ser como um adulto. Queria gritar até ficar com dor de garganta e com a voz estranha pelo resto do dia, e correr e passar pelo irrigador do vizinho, e espalhar lama pela casa e sacudir o cabelo molhado no meio da sala, como faria um cachorro. Na igreja, eu costumava tentar convencer meu irmão a jogar jogo da velha comigo no folheto, mas ele sempre se recusava, me mandando ficar quieto e apontando para o sacerdote. Uma vez, meu irmão me disse que Deus era como o melhor músico do mundo, porque ele juntou todos os sons da natureza e deu dedos a pessoas como Jimi Hendrix e o cérebro a John Lennon.

— E ele também é o melhor escritor — Gabriel me disse.

— Por quê? — perguntei.

— Porque ele dá a cada bom escritor algo com que lutar e tentar resolver por meio da escrita. É genial.

Meu irmão media cerca de um metro e oitenta e tinha cabelos castanhos e desgrenhados. Nunca usou um pente; sempre secou os cabelos violentamente com uma toalha, até parecer estar tudo no lugar. Normalmente, usava camiseta de banda, ou camisas compradas de segunda mão. Não me lembro de tê-lo visto usando outra coisa além do jeans desbotado ou da calça de sarja marrom, que suponho ter sido feita para trabalhar. Ele não andava de skate e nunca tentou tocar violão. Seus olhos eram mais ou menos como os meus, não azuis como o céu, mas como ovos de páscoa de plástico. Ele tinha covinhas também, como as minhas, e, se não fosse pelas sobrancelhas um pouco mais grossas e o nariz mais fino, poderíamos passar por gêmeos. Eu era dois centímetros mais baixo que ele, e meu tio Joseph tinha morrido, então Gabriel era o membro mais alto de toda a família.

Desde que ele desaparecera, passei a usar as camisetas de meu irmão quase todos os dias. Não sei ao certo o que me levou a fazer isso, contudo também não sei ao certo o que me levou a fazer ou a dizer qualquer uma das coisas que fiz ou disse na época. Como meu irmão não tinha nenhum amigo além de Libby Truett, decidi visitá-la uma tarde, sete semanas após o desaparecimento dele. A última vez que a vira fora algumas semanas antes, sentada à minha frente na igreja. Virando-se lentamente, ela me perguntou como eu estava. Durante o sermão, desenhou um porco-da-terra e o passou para mim.

Toc-toc.

A porta se abriu, e Libby apareceu diante de mim, cabelos presos em um rabo de cavalo e os olhos verdes olhando fixamente para o meu rosto. Ela pareceu surpresa, mas não como quem pensa: não-acredito-que-você-está-na-minha-casa. Era mais como: *Ah, Cullen, por favor, não me dê más notícias.*

— Cullen! — disse ela, com entusiasmo.

— Libby, como está, minha querida? — eu disse, porque sempre chamei Libby Truett de "minha querida".

— Estou bem — afirmou ela, rindo. — Entre, por favor.

Ela abriu espaço, segurando a porta para mim, e me acompanhou até a sala, onde me sentei no sofá verde-claro. Ela se sentou diante de mim em uma poltrona reclinável que parecia não parar de balançar, além de ranger também. Enquanto nos olhávamos, um esperando o outro começar a falar, comecei a ficar irritado.

— Ainda está trabalhando na loja? — perguntou ela.

— Ah, estou. Tenho certeza de que estarei lá pelos próximos quarenta anos mais ou menos — brinquei.

— Pensando muito na faculdade? Ouvi dizer que Lucas está indo para a Universidade do Arkansas. Você vai com ele?

— Ainda não sei. Talvez não. Não consigo nem pensar muito nisso sem ficar com dor de cabeça — respondi.

— Sim. Suponho que seja uma decisão importante.

— É. E sabemos que não sou bom nessas coisas.

Eu não sabia ao certo quando começar a falar sobre meu irmão com Libby e imaginei que ela estivesse pensando o mesmo. Conversamos um pouco mais sobre se eu estudaria ou não para ser escritor, ou se faria como todo mundo que quer ser escritor e me tornaria professor. Eu disse a ela que não tinha paciência para ser professor, e ela começou a falar sobre como considerara rapidamente a ideia de estudar enfermagem, mas não suportava ver sangue. Foi a menção ao sangue que, infelizmente, fez com que começássemos a falar sobre Gabriel.

— Você pode tentar não chorar? — pedi a Libby da maneira mais gentil que consegui.

— Posso tentar — respondeu ela, quase rindo.

— Está bem. Obrigado.

— Você não vai chorar também, vai? — perguntou Libby.

— Eu raramente choro.

— Então, sobre o que quer falar comigo?

— Meu irmão era feliz? — perguntei, sem rodeios.

— O que quer dizer?

— Ele era feliz? — repeti.

— Parecia ser.

— Eu também achava, mas ele *realmente* era feliz?

— Acho que ele era tão feliz quanto um adolescente de quinze anos pode ser em Lily. Acho que não era infeliz, apenas acomodado, sabe? — disse Libby, cutucando as unhas.

— Você é feliz? — perguntei a ela.

— Eu era. — Ela ficou pálida, e seus olhos perderam a vida. O tom de voz mudou para o de uma menina tentando conter o choro.

Foi nesse momento que precisei, contrariando meu comportamento normal, abraçar a melhor amiga de meu irmão. Uma coisa que você precisa saber sobre mim é que não gosto de abraçar pessoas com as quais não esteja sentimentalmente envolvido. Também não gosto muito de apertar a mão das pessoas, sentar-me perto o bastante a ponto de tocar em alguém ou sentir a respiração de quem quer que seja em minha pele. Se você é do tipo que gosta de fazer alguma dessas coisas, não vou fingir que entendo. Libby era mais forte do que eu imaginava que seria — não se descontrolou nenhuma vez nem derramou a primeira lágrima. Ela me apertou com força, pressionando o rosto com firmeza em meu pescoço, e ficou lá sentada, imóvel e em silêncio, até eu finalmente dar dois tapinhas em suas costas como os garotos fazem quando estão prontos para parar de abraçar.

Quando alguém está voltando da casa de Libby Truett e não tem nada bom para ouvir no rádio, imagina seu irmão caçula sentado no chão do quarto de Libby tentando convencê-la a beijá-lo. Ele vê Gabriel se inclinar, apoiando a mão com cuidado no joelho de Libby, fechar os olhos e esperar que ela se aproxime de seus lábios. Ele imagina Gabriel corando de constrangimento quando nada acontece, levantando-se e se sentando o mais longe possível, tentando não olhar para ela. Vê Libby andar pelo quarto, passar os braços ao redor do pescoço de Gabriel e apertá-lo com força. Ele a ouve dizendo ao irmão que o ama. Ouve Gabriel dizendo que a ama também. Seu irmão, ele pensa, estava apaixonado por todos que conhecia.

Minha mãe faz uma coisa quando está cortando os cabelos de alguém: coloca metade da língua para fora e dobra a ponta de volta para trás dos lábios, como se a estivesse mordendo e empurrando o restante para fora. Se Gabriel estivesse sentado ao meu lado, naquela tarde, no salão, enquanto eu a via fazendo aquilo, teria dito rapidamente: "Mãe, a língua", e ela teria, um pouco constrangida, recolhido a língua e continuado a passar spray nos cabelos da Sra. Elmore.

Da mesma forma, quando meu pai se concentra em alguma coisa, morde o lábio inferior e aperta os olhos, como se sugerisse que está fazendo algo extremamente complexo. Ele fica assim quando faz panquecas, troca o óleo do carro de minha mãe ou lê o jornal pela manhã. E também estava fazendo isso no dia em que o agente Perry se sentou diante de nós no sofá para conversar sobre a investigação.

— Estamos seguindo algumas pistas, mas, para dizer a verdade, temos quase certeza de que não darão em nada.

— Não darão em nada — meu pai repetiu, outra coisa que fazia quando estava concentrado.

— Sim. Esgotamos nossos recursos, Sam. Seguimos todas as pistas, verificamos todos os telefonemas, todas as cartas. A situação é difícil. — O rosto do agente Perry estava tomado por uma decepção sincera.

— Todos vocês fizeram um excelente trabalho, Sr. Perry. Só estamos tentando nos manter esperançosos, sabe? Ainda estamos otimistas — meu pai explicou.

— Sam — disse minha mãe, olhando para o meu pai como se ele a tivesse estapeado —, eles não fizeram nada.

— Sarah, por favor. Eles fizeram o possível. Somos gratos pelo esforço — ele falou, acenando com a cabeça na direção do agente Perry e colocando o braço em volta de minha mãe.

— Bem, senhora, este caso não está encerrado de jeito nenhum. Vários de nossos melhores agentes estão trabalhando nele, e nós também, acredite se quiser, estamos muito esperançosos. Mas já fiz todo o possível aqui.

— Nós sabemos, nós sabemos — meu pai disse, enquanto os olhos de minha mãe se enchiam de lágrimas e eu ficava em silêncio ao lado dela.

— Vocês foram tão gentis com nossa equipe. Estamos muito agradecidos. Em outras circunstâncias, eu teria apreciado muito minha estada em Lily — declarou o agente Perry, levantando-se para apertar a mão de meu pai.

Eu e meus pais acompanhamos o agente Perry até o carro, e, quando ele saiu, todos parecíamos ter o mesmo olhar: de desilusão e leveza. Era uma sensação semelhante a sentir o ar tocando-lhe a pele ou ouvir o som de seus passos na calçada. Era o tipo de sensação que faz você pular quando sente o toque das mãos de sua mãe em sua nuca, quando pisa na varanda. É mais uma reação física a algo que um estado de espírito. Foi nossa reação física ao caso de meu irmão, que parecia ser completamente impossível de ser solucionado.

A primeira reação de Lucas Cader quando lhe contei sobre a visita do agente Perry foi caminhar até o freezer da loja, abri-lo e enfiar a cabeça lá dentro. Depois de alguns segundos, Lucas foi até o balcão onde eu estava e disse que aquilo não significava nada. Nós não nos abraçamos nem dissemos nada que se esperaria ouvir em um dramalhão, mas, em vez disso, começamos a rir e continuamos com uma conversa detalhada, que iniciáramos durante o café da manhã, sobre as intenções de Ada Taylor em relação a mim.

— Então, você acha que ela gosta mesmo de você ou é só pena? — perguntou Lucas.

— Acho que ela gosta mesmo de mim. Mas é isso que desejo, então não sei.

— Acho que é de verdade. Ela não parece do tipo que faz joguinhos.

— Sim, ela é bem direta — concordei.

— Cullen, estou feliz por você ainda não estar morto — Lucas disse, rindo.

— Bem, tenho evitado carros e o rio, só para garantir — brinquei.

— E ela chegou a mencionar aqueles caras? Toda aquela confusão? Os rumores? — perguntou ele.

— Só uma vez. Um dia, no parque, estávamos no balanço, e Ada me perguntou se eu tinha medo dela.

— O que você disse? — perguntou Lucas.

— Eu disse: "Por que teria?".

— E?

— E ela disse: "Porque eu sou amaldiçoada".

— Amaldiçoada — Lucas sussurrou, como se tivesse tido algum tipo de revelação.

— É, e não dava para saber se ela estava falando sério ou brincando, porque em seguida ela se aproximou e me deu um beijo no rosto. Eu sei lá. Ela é difícil de decifrar.

Foi aí que Lucas Cader sugeriu que todos saíssemos na sexta à noite: ele e Mena, eu e Ada. Seria "incrível", ele disse. Lucas usa a palavra "incrível" quando está tentando me convencer a fazer algo que ele sabe que não quero fazer. Limpar o quarto dele e trabalhar em sua transmissão também são coisas "incríveis". Então planejamos tudo, e eu estava pronto para sair quando o telefone tocou e minha mãe gritou para mim da cozinha.

— Cullen? — disse Ada do outro lado da linha.

— Sim?

— Você dormiu com Alma Ember? — ela perguntou, sem rodeios.

— O quê? — perguntei, surpreso.

— Dormiu, Cullen? Responda. Não tem problema, só preciso saber.

— Sim — respondi, sentindo que tinha pouco a perder.

— Certo. Hum, você já está quase pronto?

— Estou. Lucas está chegando. Estaremos aí em cinco minutos.

— Está bem. Tchau.

— Tchau.

Clique.

No cinema a céu aberto, onde os adolescentes sóbrios iam nas noites de sexta-feira, esperamos na fila para comprar pipoca e espantamos alguns mosquitos. Eu estava tentando ver os trailers enquanto Ada ficava me fazendo perguntas sobre Alma Ember. Lucas olhava para mim de canto de olho; estava se divertindo. E Mena também, tentando usar sua capacidade singular de nunca calar a boca para instigar o questionamento de Ada.

— Vocês dois estavam apaixonados? — Ada sussurrou em meu ouvido.

— Não, Ada — respondi.

— Ela amava você?

— Ada, eu não sei. Deixe para lá. — Eu estava ficando irritado.

— Desculpe — disse ela.

— Não. Tudo bem. Só... podemos conversar depois? — pedi, virando-me para ela.

— Sim.

O filme só estava interessante o suficiente para prestar atenção até Ada assumir a tarefa de me agarrar. Era outra coisa que os adolescentes de Lily faziam nas noites de sexta-feira; Lucas e Mena ocupavam-se da mesma atividade no banco da frente. Foi quando Ada tentou tirar minha camiseta, e pedi a ela que fosse dar uma volta comigo. Assim que chegamos no alto de um morro próximo, eu me sentei na terra. Ela se sentou ao meu lado.

— Ada — eu disse.

— O quê?

— Preciso saber o que é isso.

— O que é isso o quê?

— Isso. Nós — expliquei.

— Não é melhor não saber? Simplesmente gostarmos um do outro e nos vermos o tempo todo sem nenhum rótulo?

— Não? — perguntei, em voz baixa.

— Cullen, você está apaixonado por mim? — ela perguntou bruscamente.

— Hum. — Eu me esforcei para pensar em algo para dizer que não fosse mentira.

— Está? — ela perguntou de novo.

— Sim? — respondi, como se pedisse permissão.

— Não está — disse ela, começando a rir.

— Hã?

— Você acabou de mentir para mim — afirmou ela, levantando-se na minha frente.

— Ada, qual é o problema? Só estamos saindo há algumas semanas. Não precisa ser tão séria — brinquei, em uma tentativa de me distrair de meu próprio melodrama.

— Você é que é sério, mentiroso e tem casos secretos por toda a cidade. O que aconteceu com o Cullen Witter inocente?

— Quem? — brinquei.

— O menino do posto de gasolina que ficava me olhando pela janela.

— Ah, acho que ele morreu.

— Isso não tem graça — disse ela, voltando a se sentar.

— Pensei que tivesse — falei, apoiando minha cabeça em seu ombro.

— Você é um imbecil.

— Sou o cara mais legal que você já conheceu, e você sabe disso.

— Mesmo assim — encerrou ela —, você continua sendo um imbecil.

Acordar na casa de Ada Taylor não era nada parecido com fazer o mesmo na casa de Alma Ember. Ada sussurrou: "Levante, levante" em meu ouvido, enquanto eu me espreguiçava e soltava um grunhido. Eu me sentei, lentes de contato grudadas nos olhos, ar-condicionado soprando desconfortavelmente em meu rosto.

— Você precisa ir agora — Ada sussurrou.

— Como? — respondi, também sussurrando. — Estou sem carro.

— Vai andando, eu não sei.

— Andando? São mais de seis quilômetros — afirmei, elevando um pouco a voz.

— Shhh. Você vai acordar minha mãe.

— Que horas são? — perguntei, voltando a sussurrar.

— São 5h30.

— Da manhã?

— É. Agora levante!

— Está bem, está bem.

Quando alguém está fugindo pela janela do quarto da menina com quem acabou de dormir, lembra-se no mesmo instante de todos os filmes em que viu isso acontecer e pensou que coisas assim não aconteciam na vida real. Começa a rir até se dar conta de que de jeito nenhum conseguirá caminhar mais de seis quilômetros até sua casa. Pensa rapidamente em ligar para o pai, que seria a única pessoa da cidade acordada a uma hora daquelas, mas descarta a ideia depois de tentar pensar em uma explicação para lhe dar. "Hum, pai, acabei de fugir da casa de uma menina", diz ele a si mesmo enquanto caminha pela calçada e passa por uma casa com enfeites de plástico no jardim, na forma de gansos e cervos. Depois — que surpresa! —, resolve ligar para Lucas Cader salvá-lo mais uma vez. Essa parece a solução mais fácil até que, parando de supetão, ele se lembra de que está sem telefone e que voltar e subir até a janela de Ada Taylor está fora de questão. Pensa em bater na porta de alguém e inventar alguma história triste sobre estar perdido, porém sabe que não conseguiria seguir adiante com isso. Assim, com uma atitude melhor que a da maioria sobre algo que realmente não pode mudar, Cullen Witter anda pela rua e chega em casa uma hora e quinze minutos depois.

O que mais me incomodava em meu irmão caçula era a forma como ele corrigia constantemente a gramática de todos. Se alguém usasse uma palavra um pouquinho errada, ele estaria lá para corrigir e depois explicar por que o erro foi cometido, mesmo que a pessoa não estivesse prestando atenção. Mas, por incrível que pareça, eu me peguei sentindo falta de suas correções naquele verão. Eu ficava sentado no quarto e, em voz alta, dizia para mim mesmo: "Hoje estou com menas fome" e "Não tem nada pra mim fazer". Então ouvia o silêncio, que não era meu irmão corrigindo meus erros, e fingia, só por um instante, ser ele. "Hoje estou com *menos* fome", eu dizia, com presunção. "Não tem nada para *eu* fazer."

Não falei com Ada Taylor por três dias após ter sido praticamente jogado para fora de sua casa. Não liguei para ela, ela não me ligou. Foi como se tivéssemos planejado não ligar um para o outro por aquele período estabelecido, porque, quando finalmente decidi ir até a casa de Ada, quase bati no carro dela parando na frente de casa. Nós nos encostamos em seu carro, ela falando, eu escutando. Ela disse coisas como:

— Sinto muito, mas minha mãe é muito severa, e ela me mataria se soubesse que deixei um garoto dormir em casa. Talvez meu pai tenha ouvido a gente sussurrando, só que acho que ele não vai contar para ninguém. Da próxima vez teremos que encontrar um lugar melhor.

— Certo — eu disse, incapaz de conter o sorriso.

— Seu tarado! — ela brincou, dando um soquinho em meu braço.

— É a sua mãe.

— Nossa, que maduro!

— Sua mãe é madura. — Eu ri.

— Cullen.

— Desculpe.

Título de livro número 82: *5h da manhã é para amantes e enfeites de jardim.*

Capítulo 14

ALMA EMBER e seus COSTUMES DE CIDADE pequena

Quando decidiu se mudar para a casa da avó em Savannah, Alma Ember só precisou dar um telefonema, e lhe mandaram uma passagem aérea e dinheiro para o táxi em um envelope pardo. Ao chegar, foi recebida na porta por Beverly Ember, que não parecia ter a idade que tinha, supostamente 76 anos. Sua avó a abraçou, quase sufocando-a com seu perfume forte, e ficou balançando de um lado para o outro, até finalmente soltá-la, inclinando-se para olhar para o rosto de Alma, e depois partindo para outro abraço.

— Você está tão linda! — disse ela para a única neta.

— Puxei à senhora — respondeu Alma, sorrindo.

Demorou um tempo para Alma se acomodar e se acostumar com as constantes perguntas e sugestões da avó sobre o que deveriam fazer ou aonde deveriam ir. Alma havia decidido, no último minuto, não aceitar a bolsa integral oferecida pela Universidade do Arkansas e preferiu ir para a Faculdade de Arte e Design de Savannah, onde pararia de falar sobre ser fotógrafa e finalmente se tornaria uma. Tudo isso, é claro, era pago por Beverly Ember, que, com a morte do terceiro marido, conquistara uma posição financeira que nunca pensara ser possível. Então, Alma Ember deu início aos estudos e passou a morar com a avó na cidade mais tranquila da Geórgia, permitindo-se preocupar-se apenas com os prazos da faculdade e os almoços no clube.

O primeiro ano provou ser mais desafiador do que ela esperava, mas Alma encerrou o último dia do semestre com média A e passos largos e firmes, cabelos balançando em um rabo de cavalo, saia verde e branca sacudindo a cada pisada. Ao chegar em casa, beijou a avó, subiu as escadas para o quarto e jogou a mochila no fundo do armário. Atirou-se na cama e, ainda com certo vigor, deixou os membros caírem sem vida ao lado do corpo. Fechou os olhos. Respirou fundo. Caiu no sono.

Quando Cabot Searcy se formou na faculdade de filosofia, seu pai lhe disse que ele não poderia ter gasto mais tempo ou dinheiro nem se tivesse tentado. Cabot sorriu, aproximou-se do ouvido direito do pai e disse a ele para aguardar e ver. Durante os três anos desde a morte de Benton Sage, Cabot continuou a estudar o Livro de Enoque, e tinha até mesmo escrito quatro trabalhos de pesquisa sobre o assunto. Cabot Searcy não desistiria de sua "busca", como chamava, pela verdade por trás da existência humana. Havia debatido intensamente com estudantes de teologia, batido de frente com dois ou três pastores locais e se envolvido em uma briga depois de chamar o presidente da Fundação de Estudantes Católicos de pedófilo ignorante. Havia muita gente feliz em ver Cabot Searcy — que começara a faculdade como um jovem charmoso, amistoso e educado — ir embora para sempre.

— Bem, e agora? — o tio de Cabot, Jeff, perguntou a ele após a cerimônia de formatura, quando a família se reuniu em um restaurante perto do centro de Atlanta.

— Estava pensando em fazer pós-graduação, mas ainda não sei bem em quê.

— Que área de estudo está considerando desta vez? — perguntou sua tia Corinne.

— Estava pensando em encontrar um lugar para estudar teologia antiga.

— Vai ser pastor? — perguntou uma de suas irmãs.

— Não.

— Como alguém pode pretender nunca ganhar dinheiro nenhum, Cabot? — seu pai começou a dizer.

— Eu vou me virar — disse ele simplesmente.

— Não com o meu dinheiro — avisou o pai, com calma.

— Richard — a mãe de Cabot sussurrou, olhando feio para o marido do outro lado da mesa.

— Bem — interrompeu tio Jeff, erguendo o copo —, que tal um brinde?

— A quê? — perguntou sua esposa.

— A Cabot ter encontrado seu caminho.

Tim-tim.

Alma Ember não gostava de marcar encontros. Na realidade, odiava a simples ideia de se sentar meio sem jeito diante de um cara que acabara de conhecer, fingindo estar interessada no que ele dizia ou quebrando a cabeça para dizer coisas que lhe fizessem parecer interessante aos olhos dele. Então, simplesmente evitava a coisa toda. Recusava convites para tomar café; paralisava diante do primeiro sinal de flerte; sentava-se longe de qualquer cara que lhe demonstrasse muita atenção na sala de aula. Viver com uma mulher de 76 anos estava começando a afetá-la. À medida que o verão lentamente passava, ela se cansava de ficar sozinha à beira da piscina no clube, observando cidadãos idosos bebendo martínis.

O primeiro encontro com que Alma concordou desde sua chegada a Savannah, um ano antes, foi com um estudante de design gráfico de 22 anos chamado Nico. O rapaz, que ela conhecera nas aulas de design, era de Aspen, Colorado, e tinha procurado o telefone dela e ligado em algum momento de junho. Ela considerou dispensá-lo por um instante, porém respirou fundo, sacudiu a cabeça e disse que estava livre na sexta-feira à noite.

Eles comeram no terraço de um bom restaurante. Alma só se sentiu desconfortável uma vez, e só porque o garçom ficou flertando com ela. Nico parecia mais bonito que na aula, principalmente porque estava usando uma bela camisa de botões em vez de uma camiseta amassada qualquer. Ele fez as coisas que as garotas gostam que sejam feitas em primeiros encontros. Abriu portas. Puxou cadeiras. Fez elogios. Riu das piadas dela. Não riu das próprias piadas. Nunca deixou de olhar nos olhos dela. Ele era confiante, mas não convencido. Delicado, mas não exageradamente charmoso. Falava com facilidade sobre coisas como arte e música, e sempre pedia a opinião dela e ouvia suas respostas. Fazia gestos positivos com a cabeça. Tomava pequenos goles de água. Levantou-se quando ela saiu para ir ao banheiro.

No espelho, Alma Ember praticou um sorriso. Disse algo como: "É claro que quero me casar com você" enquanto batia os cílios. Começou a rir de si mesma. Lavou as mãos, reaplicou o batom e caminhou na direção da mesa. Depois que ambos se sentaram novamente, Nico lhe fez uma pergunta.

— Por que você quer ser fotógrafa?

— É difícil explicar. Não tenho certeza. Só me parece certo — respondeu ela.

— Está bem. Está dizendo que parece que você foi feita para isso? — perguntou ele.

— É como se cada vez que eu visse algo belo quisesse registrar em filme. E esse é o meu jeito de ter certeza de que todas essas coisas sejam, de alguma forma, capturadas — replicou ela, alegrando-se com a própria resposta surpreendente.

— Incrível! — disse ele, tomando outro gole de água.

— E você? — perguntou ela.

— Eu o quê?

— Por que quer ser design gráfico?

— Pelo dinheiro — respondeu ele, simplesmente.

— O quê? — ela riu.

— Ah, e também porque é divertido. — Ele riu com ela.

Nas três semanas seguintes, Alma Ember dormiu no apartamento de Nico todas as noites, exceto duas, fazendo com que sua avó suspeitasse de que ela estivesse sendo corrompida e levando a uma discussão sobre o comportamento adequado para uma moça.

— Moças não dormem na casa de rapazes — disse Beverly.

— Não há nada de errado nisso, vó — respondeu ela.

— Simplesmente não me parece certo.

— Você não confia em mim? — perguntou Alma, os olhos arregalados e cheios d'água.

— É claro que confio, querida. Só fico preocupada, você sabe disso.

— Eu sei. Tentarei me comportar melhor — disse Alma, comendo alface.

Uma semana depois, Alma perguntou à avó se Nico podia se mudar para o quarto de hóspedes por algumas semanas, até encontrar um novo apartamento. O garoto que dividia a casa com ele tinha ido embora, e ele não podia pagar o aluguel. Beverly deu um suspiro, olhou para Alma e assentiu. Um mês depois, Nico estava sentado no sofá da sala enquanto Beverly se servia de um copo de chá gelado na cozinha e Alma sussurrava para a mãe no telefone do quarto.

— Mãe, vou me casar no mês que vem.

Tio Jeff havia contratado Cabot Searcy para trabalhar em sua imobiliária naquele verão, e Cabot, embora achasse o trabalho chato e tedioso, gostava de ficar na ampla casa do tio e passar o tempo livre lendo e escrevendo. O que ele também gostava em Savannah era a tranquilidade do lugar, a falta de trânsito, o chá doce e a forma como as amigas de sua tia falavam e riam quando se reuniam na saleta para jogar Uno. Um mês depois, Cabot teve uma conversa com o pai ao telefone.

— Você não pode trabalhar para o seu tio pelo resto da vida, Cabot — disse o pai.

— Sei disso, pai. Estou procurando emprego.

— Onde? Que empregos procurou?

— Hum, bem, procurei nos classificados e não vi nada — Cabot explicou.

— Precisa começar a pensar nas coisas com seriedade. Isso é ridículo! — O pai estava começando a elevar a voz.

— Pai, dá um tempo. Vou pensar em alguma coisa. Sei que está frustrado, e eu também estou, mas vai levar um tempo.

O primo de Cabot, Josh, que ainda estava no ensino médio, entrou em seu quarto uma tarde e se sentou na cama. Ele ficou mexendo na colcha antes de olhar para Cabot, que estava na escrivaninha no canto, e começar a falar.

— Pode me fazer um favor? — perguntou ele.

— O que foi? — respondeu Cabot.

— Acha que pode me levar ao cinema hoje à noite? — perguntou Josh, com hesitação.

— Claro. Sem problemas. Não tenho mais nada para fazer.

— Obrigado — respondeu o rapaz, animado, sorrindo, e depois saiu do quarto.

No cinema, Cabot e Josh se sentaram na última fileira, pipoca em uma das mãos e um refrigerante de seis dólares na outra. Os dois colocaram os pés no assento vazio diante deles e recostaram-se na cadeira, esperando as luzes diminuírem e o filme começar.

— É uma comédia? — perguntou Cabot a Josh.

— Acho que uma parte sim. É, tipo, parte comédia, parte triste — respondeu Josh.

— Nunca ouvi falar desse filme — disse Cabot.

— Ouvi dizer que é ótimo.

As luzes diminuíram na sala de cinema enquanto Alma e Nico se acomodavam em seus assentos, perto da primeira fila. Chegaram em cima da hora — não tarde demais para perder o início do filme, mas tarde o bastante para não conseguir lugares bons. Nico não parecia incomodado. Alma estava irritada, sussurrando ao ouvido dele.

— Vou precisar de um massagista quando sair daqui.

Nico riu enquanto os trailers começavam a iluminar a tela, e Alma continuou a resmungar, derrubando metade da pipoca e depois fechando os olhos por alguns segundos para se acalmar.

Trinta e sete minutos de filme bastaram para Alma Ember se dar conta de que ainda não estava pronta para se obrigar a gostar de um festival alternativo de dar sono só porque era a única coisa a que Nico gostava de assistir. Ela disse no ouvido dele que precisava usar o banheiro e saiu pela fileira de assentos. Assim que voltou para o lobby, sentou-se em um banco e limpou pedacinhos de pipoca da blusa. Pegou o telefone e tentou ligar para o primeiro amigo de que se lembrou para zombar do filme terrível. Não teve resposta. Enquanto tentava ligar para outra pessoa para matar mais tempo, alguém se sentou ao lado dela, resmungando algo em voz baixa.

— O quê? — perguntou ela, olhando para o jovem, para seus cabelos desgrenhados e seus olhos, a pele bronzeada e a expressão de tédio.

— Não consigo mais assistir a essa porcaria — disse ele, rindo.

— Você também? — perguntou ela.

— É como ver um acidente de carro, ou algo do tipo — ele brincou.

— É mais parecido com um tratamento de canal — ela brincou também.

— Meu nome é Cabot — disse ele.

— Alma. — Ela apertou a mão dele.

— Tenho uma tia chamada Alma — ele disse.

— Conheço uma cidade chamada Cabot — ela rebateu.

— Sério? — perguntou ele.

— Uma pequena cidade no Arkansas.

— Você é de lá? — perguntou ele, com empolgação.

— Sim, de uma cidadezinha chamada Lily.

— Eu sabia que você tinha um sotaque do sul, mas não exatamente da Geórgia.

— Bom ouvido — disse ela.

— Obrigado.

Foram dois dias para tirar todas as coisas de Nico da casa de Beverly, mesmo com a ajuda de alguns amigos. Ele passou a maior parte do tempo no canto do quarto, ainda chocado e confuso com a decisão repentina de Alma de romper o noivado e pedir que ele fosse embora. Alma planejara ficar fora de casa e saiu com Cabot Searcy; foram jogar golfe e conversaram sobre suas aspirações em se tornar fotógrafa da vida selvagem. Cabot compartilhou com ela suas filosofias sobre a vida e até mesmo um pouco de sua teoria sobre o potencial do ser humano. Ela ficou maravilhada com seu discurso, completamente apaixonada pelas coisas que ele dizia e fazia. Ele não tentava parecer perfeito, algo que Nico fazia com regularidade. Ele não tinha muita vergonha de explorar o tio e menos ainda de seu diploma de faculdade inútil. Alma o achava desencanado, e era assim que ela desejava ser. Para Cabot, Alma Ember parecia inocente o suficiente para ser amada, mas audaz o bastante para se impor.

— Deu positivo? — Cabot perguntou a ela pela porta do banheiro, um mês e meio depois.

— Se puder esperar só mais um minuto eu mostro! — Alma berrou de volta.

Depois de alguns instantes, ela abriu a porta e, vendo Cabot parado à sua frente, começou a chorar. A cabeça dela caiu sobre o peito dele, e ele a abraçou. Ficaram assim por um tempo. Cabot conseguiu ver a haste plástica na beirada do balcão, com duas fortes marcas no centro. Não conseguiu conter o sorriso enquanto Alma chorava.

— Vamos nos casar — ele disse a ela horas depois, deitados na cama.

— Não podemos simplesmente nos casar assim — respondeu ela.

— E por que não?

— Só estamos namorando há um mês. O que as pessoas vão pensar?

— Bem. Alma, o que vão pensar quando você sair por aí com um bebê na barriga? — Ele riu.

— Não tem graça! — ela exclamou, tentando não sorrir.

— Amanhã vamos ver a papelada. É a coisa certa a fazer — ele afirmou, beijando-a no rosto.

— Amanhã, então — ela concordou.

Capítulo 15

Tia Júlia e o amor

Minha mãe nasceu dez minutos antes de minha tia Júlia, que parecia ter se tornado um tipo de ermitã naquele verão, porque raramente saía de casa e, de acordo com minha mãe, "fedia demais". Antes, quando Oslo não estava morto e Gabriel provavelmente não estava morto, tia Júlia ia para a cozinha, sem ser convidada, para conversar com minha mãe, enquanto meu pai revirava os olhos e meu irmão e eu tentávamos ficar escondidos em nossos quartos. Antes, ela teria levado biscoitos caseiros e uma tigela de canja de galinha fria para meu pai, com explicações claras sobre como aquecê-la de modo adequado. Teria falado, falado e falado, principalmente a respeito de pessoas que não conhecíamos, e, caso fizéssemos uma pergunta, nos interrompia de imediato e dava continuidade a suas ideias.

Em uma dessa visitas, quando eu tinha cerca de 15 anos, aconteceu uma conversa que foi mais ou menos assim:

— Cullen — minha mãe me disse enquanto tia Júlia saía da frente de nossa casa.

— Sim?

— Você viu o que acabou de acontecer aqui? — perguntou ela.

— Não.

— Veja, querido. Sua mãe é muito esperta. Finalmente aprendi a calar a boca dessa mulher — disse ela, apontando para o carro de tia Júlia, que descia a rua.

— Como? — indaguei.

— Bom, não é muito difícil. É preciso saber o momento certo, na verdade.

— E qual é, mãe?

— Você só precisa esperar por uma pausa repentina, o que sabe que é difícil quando tia Júlia começa a desembestar, e então abre a boca e não para de falar, independentemente do que acontecer.

— Mas o que devemos dizer? — perguntei.

— Qualquer coisa. Mas tente falar sobre algo que não envolva sua tia. Como a escola ou o programa de TV ao qual acabou de assistir. Desde que você fale por alguns minutos sem permitir que ela tenha a oportunidade de dizer qualquer coisa que seja.

— E depois, o que acontece?

— Bom, então, de repente, sua tia se sobressalta e se lembra de que precisa estar em algum lugar ou se encontrar com alguém que prometeu visitar. É grosseiro, você deve estar pensando, mas é a única maneira.

Agora, sem Oslo, minha mãe passara a visitar a irmã todos os dias, em geral depois que saía do salão, e, na maior parte das vezes, levava um sanduíche ou hambúrguer para tia Júlia, sabendo que ela provavelmente passara o dia todo sem comer. Em um sábado, um dia em que eu surpreendentemente não tinha sido escalado para trabalhar na loja, minha mãe telefonou para casa e eu atendi.

— Alô?

— Cullen?

— Oi, mãe.

— Pode me fazer um favor?

— Acho que sim. Não preciso ir a lugar nenhum, preciso?

— Só queria que você fosse ao Burke's ou algum lugar do tipo, comprasse um cheesebúrguer e umas batatas fritas e os levasse à casa de sua tia. Pode fazer isso por mim?

— Você não pode fazer isso no caminho para casa? — perguntei.

— Estou bem ocupada aqui. Sei que ela provavelmente está esperando uma refeição. Por favor, vá.

— Tudo bem.

— Ótimo. Amo você.

— Eu também.

Clique.

Não consegui convencer Lucas, que sentia um medo estranho de minha tia, a ir comigo à casa dela, e, como eu tinha um medo estranho de acordar as pessoas, decidi não mexer com meu pai, que adormecera no sofá assistindo ao programa *Roda da Fortuna*, no qual ele não era bom de jeito nenhum. Então, cuidadosamente, peguei as chaves dele da mesa de canto e atravessei a sala de estar na ponta dos pés até sair pela porta. Detestava dirigir a picape larga demais dele, que dava a impressão de que eu estava dirigindo nas duas faixas da estrada ao mesmo tempo. Passei no Burke's, comprei um Número Três com fritas para tia Júlia e fui em direção à sua casa.

Tia Júlia estava usando uma camisola de seda, e eu a segui para dentro da sala de jantar enquanto pensava se aquela camisola já tinha sido de minha falecida avó. Ela se sentou à mesa, e eu me sentei ao seu lado, observando-a devorar o cheesebúrguer como um leão devorando uma zebra. Olhei para as paredes cobertas por ripas de madeira, para as cortinas de tom rosa-claro, para a estátua de coruja dourada que ela mantinha no canto. Balancei-me devagar da esquerda para a direita na cadeira e fingi que o pássaro falso que fazia barulho quando o relógio marcava as seis horas não tinha me assustado.

— Quer um pouco de batata frita? — ela perguntou, com a boca cheia de comida.

— Não, obrigado. Já comi.

— Acho que não consigo comer tudo isso.

— Bem, não precisa; é só jogar fora — eu disse.

— Não, seria bobagem. Tome, coma um pouco. — Ela empurrou as fritas na minha direção.

— Não, estou bem. Sem fome.

— Coma uma droga de batata frita, Cullen! — ela gritou, então peguei a batata frita e enfiei na boca.

Tia Júlia me observou com atenção enquanto eu continuava comendo. Eu não disse nada, porque é o que faço quando alguém grita comigo, e fiquei pensando se ela iria fazer aquilo de novo. Continuei pegando uma batata atrás da outra e enfiando-as na boca, mastigando devagar, mas não devagar demais, olhando para a superfície lustrosa de madeira. Então, senti a mão dela pesada sobre a minha, e, quando olhei para a frente, vi que ela sorria. Sorri também. Tia Júlia levantou-se, atravessou a sala de estar e foi para seu quarto. Esperei ali por cerca de dez minutos, e, quando estava prestes a ir embora, tia Júlia voltou à sala.

— Cullen, sabe, não está certo ficarmos apodrecendo aqui.

— O quê? — perguntei.

— Nós. Eu, você, sua mãe, seu pai. Estamos todos aqui, e somos todos boas pessoas. Todos nós vivemos nossa vida e não fazemos mal a ninguém. E estamos aqui, largados neste lugar horrível chamado Terra, para fazer o quê? — Ela parou e olhou para mim.

— É uma pergunta retórica ou quer que eu responda?

— Ficarmos sentados aqui apodrecendo como se fôssemos animais. Todo mundo espera que finjamos que está tudo bem e que tudo vai ficar bem. Bom, não está tudo bem. Nada mais está bem. Odeio esta casa. Odeio esta cidade. Odeio o maldito carteiro que sempre espia pela janela da frente! — Ela esticou o pescoço na direção da varanda.

— Tia Júlia, por favor — eu disse, com calma.

— Por favor o quê?

— Por favor, sente-se por um minuto — eu pedi a ela, aproximando-me e passando um braço pelos ombros dela.

— Consigo me virar sozinha, Cullen. Não sou velha. Estou de saco cheio.

— Eu sei. Eu sei.

Ficamos sentados um de frente para o outro, ela na espreguiçadeira e eu no sofá, no qual tenho certeza absoluta de que ela dormira por semanas. Tia Júlia tinha se vestido; colocou uma roupa bonita, uma saia e uma blusa de renda; e havia tentado passar maquiagem, apesar de ter ficado claro que fizera isso rapidamente — sua tentativa de fazer com que eu me sentisse mais à vontade. Eu me endireitei no sofá, apoiei os cotovelos nos joelhos. Olhei para minha tia e me lembrei de que ela já tinha sido bonita.

— Por que você não vem passar um tempo conosco? — perguntei a ela.

— Porque vocês já têm bastante coisas com as quais lidar.

— Não seria um problema — eu disse.

— Seria para mim, está bem? — disse ela.

— Bem, você passou por muita coisa, e faz sentido que não fique aqui sozinha, só isso.

— Cullen, independentemente do que eu faça, sempre estarei sozinha. Um marido morto, um filho morto. E eu. A velha Júlia — ela começou a dizer mais alto —, a rainha de Sherwood Drive!

— Está tomando remédios? — perguntei de modo direto, e foi a primeira vez que tive coragem.

— Querido, tenho mais remédios em mim do que tem um frasco de detergente líquido. — Ela riu, e bem alto, devo dizer.

— Gabriel dizia que você é a melhor cozinheira do mundo, sabia? — eu falei.

— É mesmo? — Ela olhou para o chão.

— Sim. Costumávamos brigar pelos seus biscoitos. E papai sempre vinha e dizia: "Pronto, pronto, a única maneira de resolver isso é deixando que eu coma o último", e então ele o pegava antes que eu pudesse impedi-lo. — Eu ri.

— É mesmo? — perguntou ela.

— Sim. Tem cozinhado muito ultimamente? — indaguei, sabendo a resposta.

— Cullen, parece que tenho cozinhado muito ultimamente?

— Não muito.

— Então, por que a pergunta?

— Bem, por que não volta para a cozinha, então? — eu disse, com entusiasmo forçado.

— Esqueci como se faz. Já tem muito tempo. Acho que preciso me aprontar para dormir, e talvez você possa acender aquela luz ali quando sair. — Apontou para o interruptor da cozinha.

— Vai telefonar se precisar de alguma coisa? — perguntei.

— Vou, querido.

Eu nunca tinha sentido vontade de abraçar minha tia, contudo algo me fez fazer isso, a mesma coisa que faz as pessoas segurarem portas para senhoras no mercado ou parar e deixar as pessoas atravessarem a rua; coisas que pareciam comuns e impessoais a quem as fazia, mas que tinham importância enorme para quem as recebia. Eu a abracei e a mantive junto ao peito. A sala estava muito silenciosa, eu me lembro porque conseguia ouvir a respiração de tia Júlia. Quando saí, ela ficou me observando da sala de estar, com os braços soltos ao lado do corpo, os ombros encolhidos, o rosto apenas meio vivo.

Título de livro número 83: *O carteiro sempre espia duas vezes.*

Lucas Cader entrou em meu quarto e se sentou ao meu lado no chão, na tarde do dia seguinte em que minha tia Júlia me forçou a comer batatas fritas. Ele sorria, mas não o tipo de sorriso que costumava abrir antes de Gabriel partir. Era o tipo de alegria forçada, na qual todos nós parecíamos estar ficando bons.

— O que foi? — perguntei, finalmente.

— Tenho boas notícias da cidade.

— Quais?

— Eles tiraram uma foto do pássaro hoje de manhã.

— Não acredito — eu disse, quase interessado de verdade.

— É, sim. John Barling, aquele filho da puta, foi embora antes de amanhecer e jura, para quem quiser ouvir, que tem uma foto do pica-pau Lázaro, vivinho da silva.

— Caramba, Lucas. Parem as máquinas, o mundo vai voltar ao normal! — eu falei brincando, então fiquei em pé e dei um tapinha em meu joelho.

— Fiquei sabendo que vão mostrá-lo no festival semana que vem — comentou Lucas, e também ficou de pé.

— Festival?

— Ah, não me diga que você não soube do Festival do Pica-pau de Lily! — Lucas gritou, dando um tapa nas minhas costas.

— Você só pode estar...

— Não. Estou falando mais sério do que nunca. Está no jornal, Cullen. Você sai do quarto alguma hora do dia?

— Não mais.

— Vai trabalhar hoje?

— Pedi demissão.

— Você o quê? — Lucas sentou-se em minha cama.

— Telefonei para o Ted hoje e disse que queria parar.

— Ele ficou bravo? — perguntou Lucas.

— Não. Só disse "Eu entendo, filho. Você tem passado por muitas coisas ultimamente", e coisas do tipo.

— E sua mãe? E seu pai?

— Eles estão preocupados demais para perceber. Vamos deixar as coisas assim, tudo bem?

— Tudo bem, mas por que você parou? — perguntou ele.

— Porque cada pessoa que entra na loja não é meu irmão, e eu não suporto mais olhar para a frente sempre que a porta faz *ding* e me decepcionar.

— Ah. Certo. Bem, e agora?

— E agora? Vou ficar neste quarto até alguém mais bonito que você vir me buscar — eu disse, meio na brincadeira.

— Está se referindo a Ada, certo?

— Isso.

— Ela está no Russell — disse Lucas, meio nervoso.

— O Para Man?

— Pensei que você fosse parar de chamá-lo assim — disse ele, sério.

Todas as manhãs eu escutava, pela janela de meu quarto, o barulho que John Barling fazia ao bater na porta da frente dos Dumas, deixar a porta de tela se fechar (*tap tap tap*), e, alguns segundos depois, ligar sua caminhonete monstruosa e dar ré no caminho de pedra.

Fulton Dumas me contou, em um dia estranho no quintal, que John Barling estava dormindo no quarto de hóspedes havia duas semanas e meia. Também disse que Barling ficava acordado a noite toda, geralmente na cozinha, folheando livros, escutando as gravações de pios de pássaros e ditando suas anotações em um gravador portátil. Fulton disse que, se John Barling não encontrasse aquele pássaro em breve e partisse, ele mesmo cortaria a garganta de John enquanto estivesse dormindo.

— Por que esperar? — perguntei a ele, rindo.

— Minha mãe o considerava brilhante — respondeu ele. — Acho que ela quer que ele encontre a ave, apesar de detestá-lo no momento.

— Você o considera brilhante? — indaguei.

— Acho que ele deve ser a pessoa mais burra que conheci.

O Dr. Webb diz que pessoas como John Barling sempre procuram alguma coisa, independentemente de ser um pica-pau de setenta centímetros ou o sentido da vida; elas simplesmente nascem e permanecem incompletas. Quando pensei nisso por tempo suficiente, decidi que talvez todo mundo que eu conheci estava procurando algo de modos diferentes. Lucas Cader procurava o irmão morto em todo mundo que conhecia, menos em Gabriel e em mim. Tia Júlia procuraria, a partir de então, Oslo em todas as pessoas que encontrasse. Da mesma forma, imaginei que minha mãe e meu pai sempre procurariam Gabriel, no sentido literal e figurado. E eu, bem, eu ainda estava tentando descobrir quem eu era antes. Tentando descobrir por que dizia e fazia as coisas que dizia e fazia. Tentando entender por que chorei dez minutos depois de Lucas me contar que Ada estava na casa de Russell, porém não derramei nem uma lágrima quando meu primo morreu. Tentando entender por que eu tinha escrito quase noventa títulos, mas nem um único livro. Questionando por que eu não conseguia fazer uma maldita coisa que fosse para trazer meu irmão de volta, por mais que me sentasse e tentasse pensar em meios para isso.

Quando alguém está sentado no chão do quarto esperando por uma garota que pode nunca aparecer, começa a se lembrar da última vez em que foi à igreja com seu irmão mais novo. Ele se lembra de que, depois do sermão do Reverendo Well, a congregação começou a falar sobre o dinheiro que ainda faltava para completar várias e, em grande parte, desnecessárias reformas no prédio. Ele se lembra de ter rolado os olhos, olhado para a mãe, que estava fazendo o mesmo, e de ter cochichado no ouvido do irmão algo muito parecido com "Não deviam falar de dinheiro aqui". E, então, ele lembra, quando algum idiota na igreja grita "dois mil", que o irmão menor, sem qualquer hesitação, disse alto o suficiente para ser ouvido, mas sem gritar:

— Por que não damos esse dinheiro aos pobres?

Entrei na sala de estar e encontrei minha mãe sentada, sozinha, vendo um álbum de fotos como faria uma mulher com um filho desaparecido. Eu me sentei ao lado dela no sofá. Ela olhou para mim com um olhar do tipo "o que você quer me dizer que não quero ouvir?", e comecei a falar.

— Por que você faz isso consigo mesma? — perguntei.

— Porque não há mais nada que eu possa fazer — respondeu ela, rapidamente, como se tivesse ensaiado em sua mente.

— São do Natal passado — eu disse, apontando para uma foto minha na frente da árvore de Natal.

— Não há muitas de Gabe — disse ela, séria.

— Ele não gosta de tirar fotos — contestei.

— Eu me lembro de quando entramos no quarto e tiramos foto dele dormindo, para que eu tivesse algo além da foto da escola para colocar na geladeira — comentou ela, rindo.

— Sim. Ele tentou me convencer, certa vez, de que as fotografias roubam parte de sua alma. Viu isso em algum documentário, ou algo assim.

— Esse é o Gabe — disse ela, balançando a cabeça —, sempre inventando alguma coisa para nos amedrontar.

— Faz oito semanas, mãe — eu disse.

— Parece muito mais, não é?

— Parece que faz oito anos — respondi, baixinho.

— Vamos comprar material escolar em breve — falou ela, com um suspiro.

Não vi Ada Taylor naquele dia nem no dia seguinte. Mas vi o carro dela estacionado na casa do Para Man, e vi vermelho quando fechei os olhos. Vi Lucas Cader tentando ao máximo me fazer rir enquanto passávamos por ali. Vi Mena Prescott me dizendo que eu estava melhor assim. Vi minha mãe e meu pai assistindo à televisão no quarto deles, usando pijama às três da tarde. Vi Fulton Dumas cortando a grama do jardim devagar, fones de ouvidos presos à cabeça, os cabelos arrepiados, os olhos vidrados de tédio.

O primeiro Festival anual do Pica-pau de Lily me deixou meio enojado. Só fui porque Lucas Cader me convenceu de que seria um modo infalível de ver Ada Taylor, que estava ficando cada vez mais habilidosa em me evitar e ignorar meus telefonemas. O festival aconteceu onde acontecem todas as coisas em Lily: no parque da cidade. Deixe-me fazer uma descrição do local: dois balanços. Um gira-gira. Três escorregadores, um de metal e dois de plástico. Uma gangorra possivelmente perigosa. Um trepa-trepa multicolorido. Muitas plantas e muita grama. E, melhor que tudo, um coreto hexagonal de treliças brancas e um campanário. Foi nesse parque que aprendi a não confiar em crianças com areia nas mãos e a não saltar de objetos quando desafiado.

Para o Festival do Pica-pau, trailers de metal foram trazidos de Harrison e agora pareciam fechar o parque em um círculo completo. No meio, perto do coreto, uma cerca de madeira separava quem passava dos cavalos que podiam ser alugados para passeios por cinco dólares e de um pequeno zoológico com bodes, veados e um bezerro preto e branco. À esquerda dos animais havia um trailer que se transformava em palco, onde, quando Lucas e eu chegamos, um monte de meninas jovens, cheias de glitter, se uniram e sapatearam juntas ao som de uma música sobre *honkatonk*, seja lá o que isso signifique. Dos dois lados do palco havia banners estreitos com desenhos grosseiros do Lázaro e as palavras LILY AMA O PÁSSARO.

A única coisa de que eu gostava nos festivais de cidade pequena era a comida. Mais especificamente, os enroladinhos de salsicha. Existe algo único em um enroladinho de salsicha de festa, uma combinação inegável de massa e óleo, de fome por andar no meio das pessoas, de ansiedade pela fila de quinze minutos. Mostarda? Não, obrigado. Gosto dos meus enroladinhos sem nada e dispostos de qualquer jeito em uma caixinha de papel. Gosto de ver quanto tempo demoro a me convencer a comer um segundo ou terceiro. Enquanto esperava na fila pelo enroladinho número dois, um menininho correu por mim com um cavalo de pau entre as pernas gritando: "Pra cima deles, caubói!". Eu ri.

— Quando eu era menino, fazia muitos cavalos de pau — disse o homem atrás de mim, na minha direção.

— É mesmo? — perguntei, virando um pouco o corpo.

— Sim. Até conseguir um de verdade, e aí nunca mais foi a mesma coisa — alegou ele, rindo, encostando o cotovelo em meu ombro.

Gostaria de dizer a vocês que, em determinado momento, de repente eu me lembrei de quando Gabriel andava pela casa com um cavalo de pau, mas não seria verdade. Contudo, imaginei isso acontecendo enquanto esperava ali, olhando para o menino cujo suor escorria pelas têmporas, com uma das mãos erguidas, gritando sem parar e se afastando.

— Isso te deixa feliz por não ter filhos, hein? — disse o homem atrás de mim.

— É, acho que sim — respondi.

— Meu neto tem mais ou menos a sua idade. Você tem o quê? Quinze anos? — perguntou ele.

— Dezessete — respondi, inexpressivo.

— Ah, você parece mais novo. Que sorte. Continue assim. Um dia dará valor.

— Aposto que sim — eu disse antes de me virar para fazer o pedido.

Lucas Cader se aproximou de mim enquanto eu estava sentado nos degraus do coreto, terminando de comer meu enroladinho número dois e vendo o coral da igreja Batista se apresentando no palco. Ele se sentou ao meu lado, com um hambúrguer na mão.

— Não é tão ruim — disse ele.

— O quê?

— O Lázaro Burger.

— Santo Deus.

— Cala a boca. O Festival não está tão ruim, não é? — perguntou Lucas.

— Mas também não está muito bom — declarei.

— E aí, já a viu? — indagou ele.

— Ada? Não. E você?

— Não. Mas vi Russell. Ele está ali, perto da barraca de pintura de rosto. — Lucas apontou para o outro lado, para uma mesa cercada de crianças que havia sido montada pela minha igreja.

O Para Man estava em uma cadeira de rodas, preso a um tipo de máquina de oxigênio. O rosto estava inchado e inclinado para um lado, os olhos maiores do que eu me lembrava. A mãe estava atrás dele, segurando as alças da cadeira e a cabeça abaixada perto da orelha esquerda dele. Observei enquanto ela o empurrava calçada abaixo em direção ao zoológico, onde parou a cadeira ao lado de um banco e se sentou. O Para Man não parecia mais durão. Não parecia mau. Havia pouco nele que intimidasse, exceto pelo monte de aparelhos que envolvia seu corpo. Enquanto Lucas sugeria que fôssemos ver a exibição da cobra viva, vi Ada Taylor se aproximar do Para Man e beijar-lhe o rosto. Ele sorriu. Cutuquei Lucas com o cotovelo, e ele olhou diretamente para onde eu estava olhando.

— Merda — disse Lucas.

— Isso mesmo.

Quando alguém está olhando para a garota que acredita ser sua namorada e a vê cochichando no ouvido do ex, imediatamente imagina Russell Quitman arrancando os tubos do pescoço, saindo da cadeira de rodas, pegando Ada Taylor do chão com um movimento rápido. Ele vê o Para Man dar um beijo cinematográfico em seus lábios e colocá-la no chão, rindo. Seu rosto assume a feição de zumbi e volta ao normal, e depois o contrário. Atrás deles, todas as pessoas comemoram, batem palmas e seus rostos, de repente, começam a mudar e a se contorcer: algumas babam, outras sentem dor, outras ficam boquiabertas e começam a ir em direção ao casal sorridente. E o menino sem irmão fica sozinho no meio do coreto da cidade, com um monte de zumbis se aproximando. Ele se vira para quem acredita ser Lucas Cader e não encontra ninguém além do pica-pau Lázaro, que parece flutuar ao lado dele. Ele o toca para ver se é real, e o pássaro bica sua mão. Agora sangrando, ele observa os zumbis se moverem mais depressa, Russell e Ada liderando a multidão. Ela também é um deles agora, e, em desespero, ele olha para o pássaro e sussurra:

— Você pode encontrar meu irmão?

— Ele me pareceu um pica-pau como qualquer outro — comentei com minha mãe naquela noite, na cozinha.

— Sim, mas ele era enorme, não? — disse ela, esticando as mãos.

— Era grande, mas nada demais. Eu não achei, pelo menos.

— Lucas, o que você achou? — perguntou ela, ignorando minha opinião.

— Achei que ele é lindo! Foi uma foto muito boa também, bem no céu, entre duas árvores, voando como se não fizesse ideia de que é o maior mistério do Arkansas. — Ele estava animado.

— Idiota — falei, dando-lhe um chute embaixo da mesa.

— Cullen, só porque você acha que ele é idiota as outras pessoas não precisam pensar a mesma coisa — censurou minha mãe.

— Só acho que todo mundo está exagerando por causa de uma coisa sem sentido, só isso — respondi.

— Não é ruim pensar que a vida nos dá uma segunda chance. Só Deus sabe como precisamos mais disso aqui — declarou minha mãe, jogando o pano de prato em cima do balcão antes de sair da cozinha.

Como Lucas teve que fazer algumas coisas para a mãe dele, voltei e me sentei no balanço que meu pai havia pedido que um amigo montasse para nós quando eu tinha 6 anos mais ou menos. Ficava de frente para uma área ampla de grama e uma série de árvores que dava início a quilômetros de mata repleta de coisas que faziam barulho, que costumavam me deixar acordado a noite toda. Comecei a assoviar a canção que Gabriel havia rabiscado no pedaço dobrado de papel. Na época, eu era conhecido por minha habilidade admirável de assoviar qualquer canção que ouvia. Eu sonhava, quando tinha cerca de 13 anos, que ficava sabendo de um concurso nacional de assovios e ia para Los Angeles, ou algum lugar assim, e ganhava milhões de dólares, e aparecia nas capas de revistas, e ganhava um troféu com meu nome.

Enquanto estava ali, escutei o *tap tap tap* da porta de tela dos Dumas e alguém andar ao lado da casa. Olhei e vi John Barling, com um cigarro na boca e um telefone ao ouvido. Ele estava de pé perto dos fundos da casa dos Dumas quando começou a gritar ao telefone.

— Que inferno, Kathy, me deixe falar com minhas filhas!

Ele disse mais alguma coisa que não consegui entender e então jogou o telefone com força no chão, e recostou o corpo todo na lateral da casa. Permaneceu assim por um momento e depois se virou. Agachado, começou a pegar o telefone, cuja bateria voara para longe. Olhou para a frente e me viu no balanço. Não tentei ocultar o fato de que havia escutado a conversa ou de que ainda observava todos os movimentos dele. Ele encaixou a bateria de novo no telefone, colocou o cigarro de lado e ficou de pé. Começou a andar na minha direção, com o rosto sem emoção.

— Você se importa? — perguntou ele, apontando para o balanço ao meu lado.

— Fique à vontade — respondi, sem conseguir pensar em algo melhor a dizer.

Ele se sentou no balanço e segurou com força as correntes dos dois lados. Pegou impulso uma vez e começou a balançar. Eu mal me mexia. Ele diminuiu o ritmo após um tempo, apoiando os pés no chão de novo, e coçou a nuca.

— Minha esposa não me deixa falar com minhas filhas — contou ele.

— Ah — respondi.

— Ela diz que elas não querem conversar comigo, mas isso não tem cabimento.

— Qual é a idade delas?

— Valerie tem sete anos, e Susanna está prestes a completar três.

— Quanto tempo faz que você não as vê?

— Muito tempo. Tento não pensar muito nisso. Sou um mau pai.

— Ah. — É o que eu digo quando me sinto desconfortável.

— Sabe, Cullen — ele começou —, o cérebro tem um jeito de não permitir que você se esqueça de coisas das quais gostaria de se esquecer. Principalmente com as pessoas. Por exemplo, você vai fazer o que puder para se esquecer de coisas que as pessoas dizem a você ou sobre você, mas sempre se lembra. E tenta se esquecer de coisas que já viu, e que ninguém deveria ver, mas simplesmente não consegue. Quando tenta se esquecer do rosto de alguém, não consegue tirá-lo da cabeça.

— Tenho dificuldade de me lembrar do rosto do meu irmão — eu disse a ele.

— É mesmo?

— Parece que, quando tento imaginá-lo fazendo alguma coisa ou me lembro da última vez em que o vi, às vezes o rosto dele se torna uma coisa branca. Outras vezes, estou sentado no meu quarto e só consigo pensar no Gabriel.

— É assim que funciona, eu acho — disse ele. — Seu cérebro nunca permite que você dê as coordenadas.

— Acho que não.

— Sei que há pessoas nesta cidade que me consideram um homem ruim — afirmou ele —, mas eu poderia ser pior.

— Verdade? — indaguei.

— Sim, eu poderia ser um vendedor ambulante, um falsário pegando o dinheiro de todo mundo, ou algo assim. Poderia ser um assassino.

Só quero provar ao mundo que o Lázaro ainda existe. Sei que existe. Já o vi. Já o ouvi. Ele me chamou durante todo o caminho até aqui, desde o Oregon. Está no meu destino.

John Barling ergueu um dos dedos em direção ao céu, como se seu "destino" estivesse flutuando ali, à mostra.

— Espero que esteja certo — eu disse, por fim.

— Qual é o seu destino, Cullen? — perguntou ele, virando para me encarar e olhando direto nos meus olhos. Dei de ombros. — Bem, faça um favor a si mesmo e não forme uma família antes de descobrir — recomendou ele, tossindo.

Após dizer isso, John Barling se levantou, acendeu mais um cigarro e começou a andar devagar de volta à casa dos Dumas. Ele se virou uma vez para piscar para mim e então continuou. Prossegui com meu assovio, fechei os olhos e não vi mais nada além do rosto de meu irmão.

Título de livro número 84: *Mais de um quilômetro e meio em um cavalo de pau.*

Capítulo 16

O LUGAR de ONDE as COISAS PARTEM

Como a vida às vezes não é tão previsível, e como o corpo humano às vezes é igual, Alma Ember e seu marido, Cabot Searcy, não tiveram um bebê como planejavam. Em vez disso, eles se sentavam no chão da sala de estar com poucos móveis do pequeno apartamento e ficavam de mãos dadas, olhando para a televisão e tentando imaginar, em segredo, o que aconteceria em seguida. Na opinião dele, Cabot Searcy havia, talvez, se apressado em se casar, mas não se arrependia nem um minuto. Alma Ember estava começando a questionar todas as decisões tomadas.

— Este lugar é um lixo — declarou Alma, ficando de pé e caminhando em direção à cozinha.

— Quer ajuda? — perguntou Cabot, colocando-se de pé.

— Só fique fora do meu caminho, por favor — disse ela, espirrando um líquido laranja no balcão.

— Certo — respondeu ele, sentando-se no sofá e pegando o controle remoto.

Beverly Ember havia desistido, naquelas poucas semanas, de tentar estar diretamente envolvida na vida da neta, questionando se estava se preocupando demais ou sendo enxerida ao extremo. Mas continuava dando um cheque a Alma quase toda semana, acreditando que ela o usaria para comprar comida ou pagar o aluguel. Alma agradecia, mostrava uma expressão passageira de culpa e beijava o rosto da avó. Cabot Searcy havia perdido o contato com tio Jeff quando engravidou Alma e foi totalmente ignorado. Agora, Cabot passava os dias sem procurar emprego, mas fingindo procurar, enquanto Alma servia café italiano, de diversos tamanhos, em um estabelecimento da rua.

Quatro meses depois de Cabot encontrar um trabalho como vendedor de TV por assinatura, Alma Ember decidiu voltar a morar com a avó. Beverly ficou muito feliz. Alma ficou um tanto aliviada, porém ainda assim se sentia triste. Cabot Searcy perdeu o emprego, não saía da cama e telefonou para Alma Ember cinquenta e sete vezes em três dias. Isso se tornou sua vida. Enquanto telefonava e escrevia cartas cansativas, ridículas e normalmente incoerentes, Cabot continuou estudando o assunto que havia, ainda que ele não soubesse, afastado Alma: o potencial da raça humana. Ainda lendo textos antigos, escrituras secretas e a Bíblia que a mãe lhe dera aos 14 anos, Cabot transformara sua curiosidade em obsessão. Passava a maior parte das noites acordado, lendo, copiando escrituras interessantes ou escrevendo suas teorias em um livro muito parecido com aquele que Benton Sage levava de um lado para outro. Ele dissera a Alma, um dia antes de ela partir, que, se Deus não tivesse matado os anjos Grigori tantos anos antes, o bebê deles estaria vivo. Alma chorou baixinho na cama aquela noite, antes de ir ao banheiro na ponta dos pés e se sentar na beirada da banheira com a cabeça entre os joelhos. Observou as lágrimas caírem no chão de linóleo. Secou-as com o pé e então se levantou e se olhou no espelho. Lavou o rosto e olhou para a frente, concentrando-se para ver se conseguia distinguir as lágrimas da água. Os olhos estavam vermelhos. Os cabelos não eram lavados havia vários dias. A mão segurava com força a lateral da pia.

Aquela não tinha sido a primeira vez que Cabot culpava Deus pela perda de seu filho. Na verdade, ele começara a escrever listas de todos os pecadores do mundo, como se estivesse construindo um exército de palavras para lutar em uma batalha divina. Pegara os bilhetes de Benton e colocara muito peso em todas as letras ou palavras. Alma sabia disso, e então foi embora. Tinha pouca esperança de que ele perceberia como sua própria mente o estava enganando.

Ele estava, de certo modo, tentando provar que o próprio criador da humanidade era também seu maior opressor. Tudo isso causava dor de cabeça em Alma, e, à medida que as bobagens religiosas dele começaram a se tornar mais frequentes e mais absurdas, ela começou a temer o marido, que já tinha sido charmoso e aparentemente normal.

Capítulo 17

Este PODE SER O FIM DO mundo

Foi em algum momento de meados de julho que meu pai começou a me perguntar sobre a faculdade. Vou dizer uma coisa a vocês: a faculdade era a última coisa com que eu me preocupara no verão em que meu irmão desapareceu e em que Ada Taylor começou a dormir comigo. Mas meu pai, de repente, mostrou-se muito apreensivo com esse assunto, me perturbando para que eu analisasse os catálogos que ele havia mandado e para que visitasse um site ou outro para ter ideia sobre algum *campus* do outro lado do país sobre o qual eu nunca ouvira falar. De repente ele quis saber quais eram meus interesses. Em que eu queria me formar. Quais eram os sonhos da minha vida e como eu planejava torná-los realidade. Que impacto eu queria ter no mundo. Para ser sincero, tudo isso me irritou a princípio. Ali estava eu, com 17 anos, e a única vez em que meu pai demonstrou interesse por mim foi quando eu menos queria. Será que ele não sabia que eu só queria ficar em segundo plano? Que eu queria me encostar em uma parede e desaparecer dentro dela? Deitar no sofá, torcendo para que as almofadas me engolissem?

Pior ainda, ele fez minha mãe ficar tentando arrancar informações de mim, fazendo perguntas aleatórias do tipo: "Você acha que usa mais o lado direito ou o esquerdo do cérebro?" e "Se tivesse que escolher morar na Costa Leste ou Oeste, qual escolheria?". Eu nunca disse a ela a resposta que queria dar, que escolheria qualquer costa onde meu irmão estivesse escondido ou preso em um porão. Eu nunca disse a ela que, mesmo se soubesse o que queria ser, ainda assim não conseguia suportar a ideia de sair de Lily sem saber se meu irmão apareceria um dia ou sabendo que o responsável por sua partida podia estar por aí esperando para fazer isso de novo, de novo e de novo, até que mil Cullen Witter vissem zumbis de seus irmãos mortos ao lado da cama à noite. Eu precisaria estar ali quando ele aparecesse. Eu precisaria estar ali para protegê-lo. Eu não dava a mínima para a universidade, e estava cansado de ser forçado a pensar nisso o tempo todo. Então, saí de casa um dia e fui à casa de Ada Taylor, e ela não estava lá. Aí, fui à casa de Lucas Cader, e ele estava sentado nos degraus da escada, na entrada. Sentei-me ao lado dele. Ele percebeu que eu estava bravo, porque não disse nada. Era isso o que Lucas sabia fazer quando eu estava nervoso.

— Ela está na casa dele de novo — eu disse a ele.

— Droga!

— Aquele cara chama mais a atenção em uma cadeira de rodas do que eu, todo saudável. Isso não é triste?

— Não tem nada a ver com você — retrucou Lucas.

— Mas parece que tem — respondi.

Na manhã seguinte, sentados à mesa de minha cozinha, prometi a Lucas que não falaríamos sobre a situação de Ada. Minha mãe, que dormira na casa de tia Júlia três noites seguidas, entrou na cozinha, colocou a bolsa em cima do balcão, virou-se para olhar para Lucas e para mim à mesa e disse:

— Já chega para mim! Júlia pode se cuidar sozinha a partir de agora.

Em seguida, saiu da cozinha. Lucas riu e enfiou mais um pedaço de waffle na boca. Eu me levantei e atravessei o corredor até o quarto de minha mãe. Ela estava sentada à beira da cama. Não estava chorando. Não estava rindo. Não fazia nem dizia nada.

— O que aconteceu? — perguntei, de um jeito meio "espero que você não se importe de conversar agora".

— Estávamos falando sobre Oslo e de como ele era lindo quando bebê — contou ela.

— Ele não apareceu em um quadro de avisos ou coisa assim? — perguntei.

— Sim, colocaram a foto dele no quadro de nascimentos do hospital quando ele tinha poucas semanas de vida.

— Hum — eu disse.

— Bem, estávamos conversando sobre isso quando ela começou a falar algo sobre o céu.

— O céu? — perguntei.

— É. Ela disse que torcia para, quando chegarmos ao céu, virarmos bebês de novo.

— Legal.

— E aí — minha mãe começou a chorar —, ela disse que só conseguia pensar em Oslo e em Gabriel lá no céu como bebês, engatinhando em um chão branco juntos.

Assim como acontecera com minha mãe, pensar em Gabriel morto, e também pensar em Oslo no céu, começou a me aborrecer enquanto eu saía para levar o lixo. Fiquei tentando imaginar se Oslo de fato havia chegado lá. Fiquei tentando imaginar se uma pessoa que sempre estragava as coisas realmente recebia misericórdia. Então, comecei a pensar no que me tornava diferente dele, além do fato de eu não ser um viciado em drogas. Eu não tinha um futuro de verdade. Não tinha objetivos.

Não tinha aspirações. Não tinha vontade de fazer nada além de esperar que algo grande acontecesse, que algo milagroso ocorresse. Talvez Oslo tivesse se sentido da mesma maneira, tentando entender qual seria a razão para abrir mão das drogas que faziam com que ele se sentisse bem quando tudo o que ele estava fazendo era esperar que as coisas boas começassem. Mas ele estava errado. Eu também estava? Ficar esperando pelo impossível? E tia Júlia estava certa? Todos nós voltaríamos a ser bebês quando morrêssemos? Se era assim que começávamos a vida, não fazia sentido pensar que voltaríamos à forma original? Que seríamos totalmente inocentes de novo? Que não conheceríamos tristeza, solidão nem tédio?

— Você pensa demais — Lucas me disse, à margem do rio White, no dia seguinte.

— *Eu* penso demais? — perguntei, erguendo a voz.

— Sim. Não consegue se recostar e relaxar sem analisar tudo — respondeu ele.

— É isso o que você faz, Lucas! — eu disse.

— Só às vezes — ele retrucou.

— Tanto quanto eu, eu diria.

— Não importa. Não é essa a questão. A questão é que você, ou melhor, *nós* precisamos aprender a nos acalmar e entender tudo antes de separar as coisas.

— Por quê? — perguntei.

— Porque sempre acabamos estragando as coisas antes de elas começarem.

Foi na nona semana que minha mãe parou de fazer as coisas. Coisas como comprar pão e leite. Coisas como tomar banho ou escovar os dentes. Coisas como atender o telefone ao lado dela. Fazia quatro dias que não ia ao salão, então meu pai encontrou a agenda dela e telefonou para todas as clientes regulares para adiar o horário, sem data definida. Eu estava no meu quarto no dia em que ela começou a jogar latas e caixas de cereal pela cozinha, na parede. A primeira coisa que meu pai gritou foi: "Cullen, fique aí!". Eu estava na sala de estar quando ela decidiu começar a xingar as reprises dos programas de televisão, mandando Ted Danson se ferrar e Mary Tyler Moore fazer algo mais cruel a si mesma.

Meu pai permaneceu paciente. Ele a acalmava. Ele a observava de todos os ângulos da sala. Levava copos com água e pílulas azuis pequenas. Olhava para mim do modo com que as pessoas se olham em velórios. Como olhamos para pessoas que acabaram de receber notícias ruins. Mas ele permanecia firme em seu propósito de encontrar uma faculdade para mim, de falar mais alto que os gritos e soluços de minha mãe para me contar sobre alguma escola da qual havia tomado conhecimento em uma revista ou sobre alguma carreira que parecia adequada. Eu achava tudo meio exaustivo, contudo não tive coragem de ignorá-lo totalmente. Ele estava tentando, e eu não tinha o direito de não permitir que ele o fizesse.

— Se eu fosse para a Universidade de Arkansas, eles permitiriam que eu dividisse um quarto com Lucas? — perguntei a meu pai.

— Não tenho certeza, mas acho que você pode pedir isso ou algo assim.

— É, talvez eu devesse telefonar e perguntar — comentei, fazendo o rosto de meu pai se iluminar como vi poucas vezes na vida.

— Ei — ele me disse enquanto eu saía da sala —, não se esqueça de perguntar sobre os programas de honra. Aposto o que quiser que você poderia participar.

Não telefonei para a Universidade de Arkansas quando saí da sala. Passei pelo telefone, pela cozinha, pelo corredor e fui para o meu quarto, onde Lucas Cader dormia no chão. Passei por cima dele e subi na cama. Peguei o diário e o abri na primeira folha em branco. Escrevi a conversa que acabara de ter com meu pai e então fechei o caderno e o coloquei de novo embaixo do colchão. Fechando os olhos, comecei a me imaginar andando por um *campus* grande e lotado. Todos ao meu redor sorriam, apresentando-se a amigos de amigos, falando sobre o jogo importante da noite anterior, vestindo as blusas novas vermelhas e brancas. E eu estava bem no meio, todo mundo se movia depressa em torno de mim, barulhos tomando meu cérebro, e eu não movia um músculo sequer. Meu rosto permanecia inexpressivo enquanto o mundo girava ao meu redor como se eu fosse o sol.

Quando acordei, Lucas estava pulando no meio do quarto. Eu me sentei, olhei para ele e esperei que percebesse que eu tinha acordado. Quando percebeu, só olhou para mim, sorriu e continuou a pular, mexendo os braços e as pernas a cada salto.

— O que está fazendo?

— Ativando minha endorfina — disse ele.

— Por quê?

— Porque vamos correr o Revezamento do Pica-pau hoje à noite — ele respondeu.

— O quê?

— O Revezamento do Pica-pau, Cullen. Você mora em uma caverna?

— Eu tento — falei.

— Eu inscrevi você, Mena e eu para corrermos. Começa às quatro e meia, então é melhor você se vestir.

— Não. Não vou competir nessa corrida idiota! — gritei.

— Cullen, eu te inscrevi. Você precisa ir.

— Não preciso.

— Vamos. Você sabe que vai acabar sendo divertido e vai me agradecer mais tarde — disse ele, ainda dando saltos.

— Não vou, não, porque *não vou*! — falei, saindo do quarto.

Lucas me seguiu pelo corredor, com a respiração pesada. Abri a geladeira e vi que estava vazia, e, quando a fechei, Lucas estava de pé do outro lado da porta. Olhava para mim com cara de espero-que-você-aceite-esse-pedido-estranho-e-deixe-as-coisas-rolarem. Eu me virei e me sentei à mesa de jantar. Ele se sentou à minha frente, ainda ofegante. Apoiou os dois cotovelos na mesa e se inclinou para me olhar nos olhos. Balançou a cabeça devagar. Seu olhar era de pura confiança.

— De jeito nenhum — eu disse.

— Cullen, não seja maluco.

— Lucas, vá para o seu maldito revezamento e me deixe em paz! — gritei, fiquei de pé e entrei na sala de estar, onde meu pai estava mudando os canais.

— Sr. Sam, diga a ele que correr no revezamento será divertido — Lucas pediu a meu pai.

— Cullen, correr no revezamento será divertido — falou meu pai, de modo automático.

— Viu? Ele quer que você vá. Então, vamos.

Eu me levantei, com o rosto a cinco centímetros do de Lucas Cader, e disse as seguintes palavras com a voz mais contida que consegui:

— Lucas, entendo que você queira se divertir. Que você goste de se distrair da vida fazendo essas coisas ridículas e rindo o tempo todo enquanto as faz. Sei que você quer fingir que tudo está bem tentando ao máximo agir normalmente, mas eu não. Quero ficar em casa, triste, pelos cantos, chorar e me conformar com o fato de que minha vida será uma merda completa a partir de agora. Então, vá buscar sua namorada, participe da corrida, saia da minha casa e não volte até conseguir começar a agir como se não tivesse se esquecido de que o meu irmão menor, seu amigo, ainda está em algum lugar fazendo só Deus sabe o quê com só Deus sabe quem.

Lucas Cader saiu depressa pela porta da frente; meu pai desligou a TV, ficou de pé e me deixou no meio da sala de estar. Arrastei os pés de volta ao meu quarto e me joguei de cara na cama. Senti o ar quente de minha respiração no rosto. Senti o cheiro do algodão de meus lençóis. E gritei alto o suficiente para que o som fosse abafado, como se não tivesse existido.

O Dr. Webb diz que perder um irmão, às vezes, é muito mais difícil para uma pessoa que perder qualquer outro membro da família. "Um irmão representa o passado, o presente e o futuro de uma pessoa", diz ele. "Os cônjuges têm um ao outro, e, mesmo quando um morre, eles têm lembranças de um tempo em que existiam antes de a pessoa chegar e conseguem imaginar a vida sem ela com mais facilidade. Da mesma forma, os pais podem ter outros filhos com quem se preocupar — um futuro a zelar por eles. Perder um irmão é perder a única pessoa com quem se divide um elo de vida que deve continuar pelo futuro." Entendo que isso quer dizer que, como um adolescente de 17 anos, cujo irmão provavelmente estava morto, eu estava agindo como um completo idiota por uma boa razão. Além de meu irmão ter desaparecido — pensem comigo —, uma parte de meu próprio ser havia desaparecido com ele. As histórias sobre nós dois só podiam, a partir de então, ser contadas por apenas uma perspectiva. As lembranças podiam ser contadas, mas não compartilhadas.

Dez semanas desde o desaparecimento foi o tempo necessário para que minha mãe se mudasse oficialmente para o quarto de Gabriel. A porta permanecia fechada a maior parte do tempo, e meu pai e eu paramos de tentar fazer com que ela a abrisse. Ela comia uma vez por dia, então pelo menos nos confortava o fato de que ela tinha certa vontade de viver. Se, como dizia o Dr. Webb, existem vários estágios no processo de luto, minha mãe estava bem no meio do estágio da loucura, quase incapaz de falar sem gaguejar, de dormir por mais de uma hora, obcecada lendo a coleção de livros de Gabriel e ouvindo seus CDs. Um dia depois de ocupar o quarto dele, ela abriu a porta e me puxou para dentro enquanto eu atravessava o corredor. Sentou-me na cama. Usava um pijama rosa e branco, sem maquiagem.

— Quero que você ouça esta música, Cullen. É linda.

Ela apertou o play no pequeno aparelho, e eu esperei escutar alguma coisa. Nada aconteceu.

— Merda — disse ela, sentando-se com as pernas cruzadas no chão diante do aparelho.

— Mãe, deixa que eu...

— Não, pare. Eu consigo — ela interrompeu, apertando mais dois botões, deixando metade da língua para fora da boca.

O que escutamos foi a metade de uma canção que eu nunca tinha ouvido antes, e eu fechei os olhos, ouvindo cada palavra.

Olhando para o sol
Oh, minha voz não pode me salvar agora
De pé no mar
Só mais um respirar e então eu descerei.

Olhei para minha mãe, que movia os lábios com as palavras, e fiquei tentando imaginar quantas vezes ela havia se sentado ali para escutar a música naquele dia. Ela balançava de um lado para o outro, com os olhos voltados para o teto, uma mão movendo-se ao lado do corpo, como se, lentamente, afastasse moscas invisíveis. Quando a música terminou, minha mãe apertou o *stop*, soltou os braços ao lado do corpo e olhou para mim, como se eu tivesse de dizer algo.

— Gostei — eu disse.

— Eu sabia que você ia gostar.

— Onde ele encontra essas coisas? — perguntei.

— Não sei, mas eu adorei — declarou ela, esfregando uma mão no carpete.

— Você vai sair daqui logo?

— Você é igualzinho a ele, sabia? — comentou ela, olhando para o meu rosto.

— Mãe, por favor.

— É, sim. Quando vocês tinham cerca de seis e cinco anos, as pessoas me perguntavam se eram gêmeos.

— Você quer buscar comida ou algo assim? — indaguei, ficando de pé.

— Quero que você saiba que vai ficar tudo bem, Cullen.

— Mãe.

— As aulas começarão em breve, e, um dia, você vai voltar para casa e o Gabe vai estar sentado bem aqui, no chão, escutando essa música.

Ada Taylor concordou em me encontrar no único café da cidade, que também era uma livraria. Sentamos de frente um para o outro e ficamos calados. Ada estava com uma expressão de quem se sentia muito mal por alguma coisa. Eu tinha a impressão de que estava com a mesma expressão quando beberiquei meu café e finalmente comecei a falar.

— Ada, estou um pouco confuso — eu disse.

— Sei que você está — respondeu ela.

— Sobre o que está acontecendo entre você e Russell.

— Certo — concordou ela.

— E sobre você começar a não atender os meus telefonemas e nunca estar em casa.

Ela olhou para mim como se não tivesse nada a dizer ou como se não soubesse o que dizer.

— Você tem alguma coisa para dizer? — perguntei.

— Preciso cuidar de Russell. Ele precisa de mim. Devo isso a ele — afirmou.

— O que isso quer dizer? Você deve isso a ele? *Você* não quebrou o pescoço dele! — comecei a falar meio alto.

— Quero dizer que, se Russell não tivesse me conhecido, provavelmente nunca teria acabado lá na Flórida, bêbado, no acidente de carro. É minha culpa, de qualquer jeito. Nunca pude cuidar dos últimos dois, então preciso cuidar dele agora.

— E eu? — perguntei.

— O que tem você, Cullen? — perguntou ela, parecendo frustrada.

Esperei em silêncio para que ela se desculpasse.

— Cullen, você está apaixonado pela ideia de ficarmos juntos e pela ideia de isso funcionar. Não é por mim, eu garanto.

— Não é por você — repeti, inexpressivo.

— Sinto muito, Cullen. Sinto mesmo. Sei que isso é péssimo. Mas você está melhor. E vai ficar bem. Você precisava de mim. Agora, outra pessoa precisa de mim.

Quando ela saiu, tomei mais um gole de café e olhei para o casal que estava sentado à minha direita. Eles me olhavam com cara de "sabemos que você acabou de levar um fora", então levantei minha xícara de café na direção deles, como se dissesse "saúde!", e bebi mais um gole. Joguei um dólar sobre a mesa e saí porta afora.

Lucas Cader voltou três dias depois que pedi que ele fosse embora. Não havia corrido no revezamento, e o lado esquerdo de sua mandíbula estava roxo e inchado. Ele se sentou ao meu lado no sofá, cumprimentou meu pai com um meneio de cabeça e olhou para a televisão. Meu pai aumentou o volume para abafar o som que vinha do quarto de meu irmão e, aproximando-se o suficiente para olhar em meus olhos, apontou para a mandíbula dele e então para Lucas.

— O que aconteceu? — perguntei, sorrindo.

— Nada — disse ele.

— É sério, que diabos aconteceu com seu rosto?

— Eu disse que não aconteceu nada. Me deixa em paz — respondeu Lucas.

— Tudo bem. Você entra na sala de estar de uma pessoa com o rosto machucado e não dá explicação nenhuma.

— Certo, vou contar — ele concordou.

Meu pai tirou o som da televisão e se ajeitou. Lucas esboçou um sorriso de alguém que tinha apenas metade do rosto funcionando.

— Bem, eu saí daqui aquele dia depois de você dizer que...

— Me desculpa — interrompi.

— Tudo bem. Bem, eu saí daqui e fui buscar a Mena. Ela estava atrasada, então, quando chegamos ao parque, todos os corredores estavam alinhados, e John Barling, logo ele, estava no palco e segurava o revólver apontado para cima. Ele deu boas-vindas a todos e começou a contar. E, naquele momento, quando Mena correu para o seu lugar, corri em direção ao palco. Subi os degraus com tudo, corri até Barling e, então, acertei o nariz dele.

— Você o quê? — perguntei.

— Droga — disse meu pai.

— Dei um soco forte nele, mas ele é mais forte do que eu pensei. Antes que eu pudesse reagir, ele se virou e acertou a minha boca. É por isso que estou assim.

— Droga — falei.

— Ainda está doendo pra caramba — disse Lucas, rindo.

— Por que você fez isso?

— Pra mostrar a você que não me esqueci do que é importante, creio eu.

— Caramba, Lucas, você podia ter dito isso! — retruquei.

Na manhã seguinte, acordei antes de Lucas e saí do quarto na ponta dos pés. Enchi uma tigela com cereal, porque era isso que eu comia em todas as refeições naquele verão, o que fazia com que o céu da minha boca ficasse, o tempo todo, coberto por uma camada doce. Sentei-me de frente para meu pai à mesa; ele estava mexendo o café devagar e fazia uma palavra-cruzada.

— Telefonei para a República Estudantil — disse meu pai, sem olhar para cima.

— É mesmo?

— Sim. Disseram que você precisa preencher um formulário, e Lucas tem que fazer o mesmo. Assim vocês poderão dividir o quarto.

— Obrigado, pai.

Gabriel e eu costumávamos brincar de "E se?", uma brincadeira na qual o objetivo era criar as situações hipotéticas mais absurdas. Havíamos brincado muito disso no telhado de casa, algumas semanas antes de ele desaparecer. Nosso motivo principal para ficar no telhado era para ver uma chuva de meteoros que tinha sido anunciada. Gabriel não perderia isso por nada, não importava a que horas fosse, porque elas só aconteciam uma vez a cada poucos anos.

— E se os seres humanos começassem a ter asas? — perguntou ele, sem desviar os olhos do céu escuro.

— E se eu já tiver asas e as estiver escondendo todos esses anos? — respondi.

— E se eu derrubar você deste telhado por ter mentido? — questionou ele, rindo.

— E se eu usasse minhas asas secretas para voar para longe? — rebati, rindo.

— E se os seres humanos sem asas começassem a caçar os seres humanos com asas por diversão? — perguntou Gabriel.

— Isso certamente aconteceria em Lily — eu disse.

— E se criássemos umas leis antes desse acontecimento revolucionário? — Gabriel sugeriu.

— E se chamássemos essas leis de "Não é fácil ser alado: regras para quem se tornou capaz de voar recentemente"?

— Perfeito — Gabriel suspirou.

Naqueles dias, quando parecia que o verão estava acabando e meu futuro se recusava a parar de me perturbar a todo momento, comecei a encontrar consolo na minha brincadeira de "E se?". A maioria das situações, claro, envolvia meu irmão. "E se", eu me perguntava enquanto descia a rua, ficava no sofá ou tentava adormecer, "e se Gabriel fosse como o pica-pau Lázaro e aparecesse um dia como se nada tivesse acontecido? E se tudo isso fosse real — esse pica-pau idiota? E se as coisas realmente voltassem ao normal neste lugar terrível?". Isso sempre me fazia pensar em quando Gabriel havia me dito por que sempre teria fé na humanidade. Ele dizia:

— Cullen, as pessoas não podem desistir umas das outras ainda. Todos merecemos uma segunda chance, sabe? Podemos começar de novo, como Noé depois do dilúvio. Por pior que um homem seja, ele sempre ganha uma segunda chance, de um jeito ou de outro.

Título de livro número 85: *Só Deus sabe.*

Quando alguém está deitado no chão do quarto exatamente dez semanas e três dias após seu irmão ter desaparecido da face da Terra, começa a imaginar uma situação bem maluca. A campainha toca e sua mãe, de vestido preto, atende e cumprimenta tia Júlia e o marido, o doutor James Fouke, que está ao lado dela. Ele não parece nem um pouco morto, Cullen Witter pensa, levantando-se do chão e aproximando-se do sofá. A campainha toca de novo quando Júlia e James vão para a cozinha. Ele se levanta e chega à porta antes da mãe, abre-a e encontra Lucas Cader bem asseado, com gravata e tudo, com Mena Prescott segurando seu braço direito. Ela está usando um vestindo preto também, mas o dela não tem alças e é muito mais justo. Ele, silenciosamente, faz sinal para que eles entrem na sala de estar e, assim que tenta fechar a porta, vê alguém se aproximando. Espera ali, segurando a porta aberta, até Ada Taylor entrar, beijar seu rosto e seguir para dentro da casa. Ele fecha a porta, balançando a cabeça e sorrindo, e entra devagar na cozinha, onde encontra os pais, tia e tio erguendo taças de champanhe em um brinde. *Tim-tim.*

Ele caminha para a sala de estar, mas se vira assim que a campainha toca de novo. A porta se abre antes de ele chegar até ela, e Oslo

Fouke entra, sorrindo, com uma camisa de botões e gravata-borboleta. Sorri para o primo, olha para ele de cima a baixo e aperta a mão dele, que estava estendida. Oslo dá um passo para o lado e entra na sala de estar, onde se senta ao lado de Lucas e Mena no sofá. Pergunta a Lucas sobre a escola. Comenta sobre o vestido de Mena. Não parece morto quando chama Ada Taylor para dançar, e eles começam a se mover no centro da sala. Atrás deles, Cullen Witter vê alguém atravessar o corredor. Tenta ficar na ponta dos pés para ver acima dos convidados, e, ao fazer isso, Gabriel Witter entra na sala do outro lado, ergue as sobrancelhas para o primo, passa por Cullen e lhe dá um tapinha no ombro. Ele vê os lábios de Gabriel se movendo, mas sem som. Percebe a mesma coisa quando todos tentam falar com ele.

Alma Ember e sua mãe entram na casa com uma estranha familiaridade e partem diretamente para a sala de jantar, onde Cullen acredita ouvir um som fraco de risos. Ele entra na sala e, em vez de encontrar uma mesa de madeira com quatro cadeiras, comprada na promoção na única loja de móveis de Lily, vê uma mesa comprida com oito cadeiras de cada lado e uma em cada extremidade. A mesa está coberta com uma toalha branca de renda e pontuada por pratos e tampas prateadas, tigelas de uvas, cestos de pães e taças de líquidos borbulhantes. Seus pais estão sentados nas extremidades da mesa, e a tia e o tio estão ao lado de sua mãe, no lado esquerdo. Alma e sua mãe se sentam ao lado deles, e, quando Cullen tenta sair da sala, seus amigos passam pela porta e se sentam.

Quando Cullen procura um assento, Russell Quitman fica de pé diante dele, com o amigo Neil na cola, e estende a mão. Cullen não aperta a mão dele pela primeira vez e faz um sinal em direção à mesa, olhando para as pernas normais de Russell enquanto os dois se afastam. Neil se vira para piscar para Cullen e faz um gesto com a mão do tipo "Estou atirando com uma arma imaginária". Cullen fica perto da porta e espera por alguns segundos, até escutar alguém se aproximar dos degraus da varanda. John Barling, Shirley Dumas e Fulton entram na casa e cumprimentam Cullen com apertos de mão e sorrisos. Entram na sala de jantar enquanto Cullen olha para eles, confuso, e balança a cabeça. Deixa a porta aberta e vai para a sala de jantar com todos os outros.

Ele se senta à esquerda do pai, que está dizendo algo que Cullen não consegue escutar. Ele tenta ler os lábios do pai, porém não consegue entender o que está sendo dito. Entediado com isso, estende o braço para levantar a tampa de uma enorme bandeja de prata. Ao fazê-lo, leva um tapa na mão. É Shirley Dumas, que sorri para ele e balança a cabeça como se dissesse *Ainda não está na hora, jovenzinho*. Ele sorri, pegando a taça para bebericar o que há dentro dela. Não sente gosto de nada e a devolve ao lugar de onde a tirou. Olha ao longo da mesa, para seu lado e para o outro lado. Todos estão sorrindo. Conversando. Rindo. Ele sente mãos nos ombros e encontra Gabriel, de pé, com uma guitarra ao redor do pescoço e do braço. Gabriel sorri para Cullen e se aproxima do lado da mãe na mesa. Puxa a cadeira vazia à esquerda dela e fica de pé sobre ela, começando a tocar a guitarra. Cullen olha ao redor; todo mundo parou de falar. Mas continua sorrindo.

Seu irmão começa a dedilhar a guitarra com aparente habilidade, entretanto Cullen só ouve o silêncio. Ele se pergunta quando o irmão voltou e quando começou a aprender a tocar guitarra. Mesmo assim, recosta-se em seu assento e observa com atenção enquanto todo mundo começa a se mover lentamente ao som da música que Gabriel está tocando. Ele olha para os lábios de Gabriel. Está cantando. Mantém os olhos fechados. Está mesmo arrasando com essa canção silenciosa, Cullen pensa. Observa os convidados admirando o irmão, Mena encostando a cabeça no ombro de Lucas, Oslo segurando um isqueiro no ar, a mãe secando lágrimas de alegria. E então vê algo pelo canto do olho. É vermelho, preto e branco, e é rápido. Olha para Gabriel, ainda dedilhando, ainda cantando, e vê, pousado em seu ombro, um pica-pau Lázaro de setenta centímetros. Olha ao redor e percebe que ninguém está preocupado com isso. Olha direto para John Barling e tenta chamá-lo, mas nenhuma palavra sai de sua boca. John Barling está sentado em silêncio, com um sorriso idiota no rosto, com Shirley Dumas remexendo-se a seu lado. A campainha toca. Cullen fica de pé, corre pela cozinha e vê Vilonia Kline atrás da porta de tela. Faz sinal para que ela entre. Ela sorri para ele. Entra na frente dele e se senta, acenando para todos na mesa, mas olha para a frente para admirar a performance de Gabriel.

Cullen está no canto do fundo da sala. Observa o rosto dos amigos, de sua família, de pessoas que mal conhece e de pessoas que não suporta. Recosta-se na parede. Ainda não escuta nada. Tenta gritar "OLÁ!", contudo não consegue dizer nada de novo. O pai olha para ele e faz um gesto para que se sente. Ele obedece. Observa o irmão, como todo mundo. Pensa que gostaria de ouvir a música. Deseja ouvir a voz do irmão mais uma vez. Olha para o pássaro. O pássaro olha para ele e bate as asas uma vez. Seus olhos arregalados estão fixos nos dele. Ele abre a boca, talvez emitindo um som, talvez não. Cullen não consegue saber. Ele se encolhe ao ver a proximidade do bico grande do pássaro do pescoço de seu irmão, torcendo para que ele se afaste. Mas ele não se afasta. Permanece ali e começa a mexer a cabeça para cima e para baixo, como se dançasse a seu modo uma canção silenciosa. Cullen olha para o outro lado da mesa, para Neil, e então para Russell, cuja mandíbula está começando a se abrir de modo estranho. Faz um sinal para Russell, apontando para a própria mandíbula, mas Russell ignora o gesto e aponta para Gabriel. Ele olha para Oslo e vê a mesma coisa acontecendo com a mandíbula dele. Os olhos dele também começam a ficar caídos. Seu rosto se torna totalmente deformado. Ele olha para Russell; os olhos dele estão da mesma maneira. Cullen fica de pé, afasta-se da mesa e percebe que todo mundo a seu redor está começando a ficar bem estranho. Bate as costas na parede e abaixa-se em direção ao chão. As pessoas à frente dele se tornam zumbis, movendo-se devagar, levantando-se, todas inclinadas para um lado ou outro, olhos caídos, bocas abertas, remexendo-se como mortos-vivos. Todos estão em seus lugares, ainda concentrados em Gabriel, que permanece normal, ainda dedilhando, ainda cantando. Ele olha para Cullen. E, apesar de seus lábios ainda estarem se movendo, ele parece assustado. Cullen olha para Lucas Cader, mas encontra um zumbi no lugar dele. Fica de pé e vai em direção ao irmão. Gabriel não se mexe. Cullen chacoalha os ombros do irmão mais novo, e a guitarra cai para o lado. O pássaro voa pela sala e pousa na cabeça de Oslo. Gabriel olha para ele sem expressão, o rosto ainda humano, os olhos ainda assustados, diz o nome de Cullen e cai de cabeça sobre a mesa. Cullen se afasta de novo, tenta chegar à porta, mas dá de cara com algo. Ele se vira e vê a casa cheia com os mesmos seres não humanos. Todos caminham na direção dele, com os braços esticados, a cabeça solta, arrastando os pés. Ele sobe na mesa e tenta levantar a cabeça de Gabriel. De repente, não encontra nada nas mãos além de roupas. Começa a gritar e não sai nenhum som. Tenta de novo. Nada, ainda. Ele fecha os olhos. Cerra os punhos. Abre a boca o máximo que consegue e solta o som mais alto que já emitiu. Abre os olhos e se vê sentado à mesa em uma sala vazia. Conta as cadeiras; há quatro de cada lado. Ele se abaixa, chacoalha a cabeça e ajeita os cabelos com uma mão. Entra na cozinha e se senta ao lado do irmão à mesa do café da manhã. O irmão olha para ele e diz, sussurrando: "É assim que termina".

Título de livro número 86: *Jantar dos zumbis.*

Capítulo 18

Você não encontraria um cara mais bacana mesmo que tentasse

Foi difícil para Alma aceitar o fato de que voltar para Lily provavelmente era o melhor a fazer. Ela não estava mais na universidade: desistira no terceiro semestre por causa dos enjoos matinais, por duas notas D e uma F. Em Lily, ela acreditava, as coisas seriam mais simples que em Savannah. Mais familiares. Mais estimulantes. E, principalmente, Lily teria menos Cabot Searcy. Desde que ela o abandonara, Cabot sempre a perturbava, ligava tarde da noite, aparecia com flores, doces ou ursos grandes de pelúcia, mandava recados pelos amigos e conhecidos. Seus esforços foram inúteis, e isso ficou bem evidente quando ele recebeu a papelada do divórcio das mãos de um homem baixo e atarracado chamado Carl ou Joe.

Beverly pagou a passagem de avião de Alma de volta para casa. Ela a abraçou com força. Chorou. Sussurrou no ouvido da única neta: "Você é muito amada". Alma embarcou no segundo voo de sua vida e, em duas horas, estava de volta ao Arkansas, de pé, perto da esteira de bagagens, esperando que a mãe aparecesse na escada rolante. Quando ela apareceu, tudo ficou bem, e ninguém ficou triste. As pessoas se moviam ao redor delas, chocavam-se umas com as outras, mães tentando manter os filhos por perto, maridos dizendo às esposas que elas deviam se apressar, malas com rodinhas fazendo barulho e uma voz eletrônica anunciando um voo atrasado.

Cabot Searcy conversara com a esposa apenas uma vez desde que ela voltara para o Arkansas, por tempo suficiente para ela implorar que ele assinasse os papéis do divórcio a fim de que ela pudesse tocar a vida adiante. Em resposta às perguntas sem-fim que ele fazia sobre o porquê de ela tê-lo deixado, Alma desligou o telefone. Isso foi no mesmo dia em que Cabot Searcy adormeceu e viu o que chamou de visão divina. Estava sozinho em um descampado, nada além de troncos e árvores mortas espalhadas ao redor. Acima de sua cabeça, um feixe de luz verde iluminou seu corpo. Ouviu uma voz e olhou para o céu. Quando acordou, repetiu o pouco de que conseguia se lembrar, um verso de Hebreus a respeito de Enoque: "foi arrebatado, de modo que não experimentou a morte; e não foi encontrado".

— Que importa se eles encontrarem o pássaro ou não? — perguntou Alma Ember a sua mãe algumas semanas depois.

— Bem, querida, um acontecimento desses poderia fazer com que muitos negócios viessem para a cidade. Lily vai se beneficiar com as pessoas que vierem, sabe? — respondeu a mãe dela.

— Acho que sim — Alma deu de ombros.

— Além disso, não é interessante pensar que algo pode simplesmente voltar?

— Então, ele está escondido aqui há todos esses anos? — perguntou Alma.

— Sim — respondeu a mãe.

— Parece que não quer ser encontrado — disse Alma, fazendo as unhas.

Naquela noite, na cama, Alma Ember pensou na semelhança entre ela e Lázaro, o pica-pau. Os dois fugiram. Os dois voltaram. Os dois queriam ser o mais invisível possível. Ela se imaginou sentada perto do rio, observando centenas de pássaros voando ao redor e acima de si. Riu ao pensar em estar ali, vendo aquela coisa incrível que era dar a todos na cidade tanta esperança. Decidiu, então, que, se visse o pássaro, não contaria a ninguém. Apenas sorriria, faria um meneio de cabeça e continuaria fazendo o que estivesse fazendo, sabendo que havia salvado o pássaro de alguma maneira.

Foi por acaso que Alma encontrou, certo dia, um velho amigo da igreja no mercado. Ele perguntou como ela estava, disse que estava muito bonita e, com toda a confiança do mundo, perguntou se os boatos sobre ela ter se casado eram verdadeiros. Ela não escondeu nada, riu durante toda a conversa e falou pouco sobre Cabot; apenas comentou que ele havia "enlouquecido" de certa maneira. Esse encontro foi, desde sua volta ao Arkansas, a primeira vez em que Alma sentiu que não a estavam julgando. A primeira vez em que conseguiu falar sobre aquilo sem se sentir idiota. E tudo isso com um colega de ensino médio que ela não via desde que se formara. Sim, Lucas Cader alegrara seu dia. E, apesar de a conversa ter terminado minutos antes, Lucas se aproximou dela mais uma vez no estacionamento e fez uma pergunta surpreendente:

— Você conhece Cullen Witter, certo? — perguntou ele.

— Sim, o que ele tem feito?

— Bem, vou dizer. Cullen é um cara bacana, meu melhor amigo no mundo. Você não encontraria um cara mais bacana mesmo que tentasse. Então, eu estava pensando, já que você voltou de repente para a cidade e tudo, poderia sair conosco hoje à noite.

— Com você e Cullen? — perguntou Alma, confusa.

— Não, não. Eu, Cullen e Mena.

— Mena Prescott?

— Sim. Nós namoramos há algum tempo.

— Ah, que ótimo, Lucas! Ela é muito bonita — disse Alma.

— Então, está marcado o encontro? Hoje à noite? — indagou Lucas.

— Hum, tem certeza? — perguntou Alma.

— É só um cinema com alguns amigos. Você sabe que esta cidade já é entediante demais — Lucas brincou.

— Tem razão. Pode contar comigo.

— Pego você às seis e cinquenta; o filme começa às sete e quinze — avisou Lucas, afastando-se de costas.

— Estarei pronta.

— Até mais.

— Até, Lucas. Obrigada.

Cabot Searcy nunca tinha ido ao Arkansas antes do dia em que aterrissou no aeroporto de Little Rock. Também nunca tinha alugado um carro antes de entrar no Ford Taurus verde-escuro e pegar a rampa para a estrada interestadual. Péssimo para encontrar caminhos, Cabot estava aliviado por ter que percorrer essa única estrada para acabar em Lily, Arkansas, onde esperava encontrar a esposa fujona e resolver tudo com ela. O rádio estava alto quando ele passou por todas as saídas, observando casualmente o número de cada placa brilhante enquanto cantava e estalava os dedos sem parar. Dessa vez, se sentaria com ela, seguraria sua mão e choraria se fosse preciso. Pediria desculpas por seu comportamento. Prometeria um novo começo. Garantiria que ela teria uma vida perfeita.

Depois de sair da estrada, ele dirigiu por cerca de dezesseis ou vinte quilômetros até encontrar uma placa de madeira iluminada por um único poste. Na placa, em letras grandes e vermelhas, estava escrito: BEM-VINDO A LILY! Embaixo, havia sido acrescentado, com letras um pouco menores, pretas e cinza, a frase CASA DO PICA-PAU LÁZARO!

— Não acredito — Cabot disse a si mesmo, desligando o rádio.

Ele dissera a Alma, na noite anterior, ao telefone, que assinaria os papéis e os enviaria à advogada dela em Savannah. Mentira, claro. Em vez disso, procurou o tio para implorar por dinheiro para comprar uma passagem de avião. Depois de passar pela cidade mal-iluminada, estacionou na frente de uma pequena pousada com uma placa de néon com letras queimadas. Tinha o suficiente para pagar por uma noite. Abrindo a porta do quarto 16, olhou para a direita e viu, recostado na lateral da construção, uma placa nova e grande, com letras de néon apagadas, na qual se lia POUSADA LÁZARO.

Acordando com a Bíblia a seu lado, Cabot enfiou um dedo no olho esquerdo para ajustar a lente de contato, ficou de pé e se ajoelhou no chão, apoiando os cotovelos na cama. Em silêncio, pediu que Deus lhe desse as respostas pelas quais procurava desesperadamente. Por que Alma não voltava para ele? Por que ele encontrara o diário de Benton Sage? Por que fora parar em Lily, Arkansas? Ele tossiu. Disse amém. Entrou no banheiro e tomou um banho.

Era perto de meio-dia quando Cabot encontrou a casa de Alma, e só percebeu que se tratava da casa dela graças ao nome de solteira na caixa de correspondência, em letras pretas e douradas. Por curiosidade, ele abriu a caixa do correio, vasculhou entre os envelopes e os devolveu. Não havia carro na casa. Ele se aproximou da garagem e fez o possível para espiar pela janela alta da porta ao lado. Não viu nada além da cozinha escura. Quando se virou para se afastar e voltar para o carro, ouviu uma porta se abrir atrás dele. Viu a mãe de Alma de pé, com a porta de tela ainda fechada diante de si.

— O que você quer? — perguntou ela.

— Senhora, sou Cabot. Sou o marido de Alma — anunciou ele, aproximando-se.

— Sei quem você é. Por que veio aqui?

— Quero ver a Alma. Ela está? — ele questionou, ainda caminhando na direção dela.

— Fique onde está. Ela não está em casa.

— Posso esperar por ela?

— Não. Não é uma boa ideia. Você trouxe os documentos? — a mãe indagou, abrindo a porta de tela o suficiente para passar a mão, a palma virada para cima.

— Eu os enviei ontem. Para a advogada — ele respondeu.

— Ótimo. Então, por que não vai para casa agora? Ela vai demorar um pouco. Me disse que vocês terminaram. Sinto muito, mas é isso.

— Senhora, deixe-me entrar. Por favor.

— Cabot Searcy, entre no seu carro e saia daqui! — a mãe bradou, fechando a porta de tela.

— Preciso vê-la — disse ele. — Preciso. Só para me despedir.

— Espere dentro do carro, então, do outro lado da rua. E não volte aqui a menos que eu o chame. Entendeu?

— Sim, senhora. Obrigado. — Ele caminhou em direção ao carro, onde esperaria por trinta e sete minutos, cada um deles contado com atenção pela mãe de Alma.

Alma Ember dobrou a esquina com o Honda marrom da mãe e entrou na garagem. Quando saiu, olhou para o outro lado da rua e viu o marido olhando para ela de dentro de um carro verde. Ficou ali, esperando que ele se aproximasse, mas ele não se mexeu. Sua mãe abriu a porta e gritou:

— Alma, eu disse para ele ficar ali até quando eu mandasse sair!

— Alma olhou para a mãe, ergueu um dedo como se dissesse *Me dê um minuto* e começou a atravessar a rua. Cabot já tinha abaixado o vidro do lado do passageiro quando ela se aproximou do carro e recostou um braço contra a porta. Olhou para ele, que estava chorando.

— Cabot, o que é isso?

— Alma, eu sei que podemos resolver. Sei que podemos — falou ele, levando a mão à maçaneta.

— Fique no carro, Cabot — disse ela.

— Eu só... estou feliz por ver você. Está linda e...

— Você precisa ir para casa agora. Precisa ir para casa enviar aqueles documentos e tem que parar com tudo isso.

— Alma, eu amo você — ele disse, recostando-se para se aproximar.

— Cabot, está tudo terminado. Tenho coisas a fazer. Preciso me arrumar para sair. Tenho uma vida aqui. Você deve voltar para a sua, na Geórgia.

Quando se afastou, Alma começou a pensar em todas as coisas que não dissera a ele. Deveria ter dito para ele procurar um terapeuta. Deveria ter dito que ele era um cara gentil e bacana que não conseguia se controlar muito bem. Deveria ter dito que ela tinha mudado de vida, que estava namorando uma pessoa, que o havia superado totalmente. Deveria ter mentido para ter certeza de que ele entenderia a mensagem. E assim ela se virou e viu Cabot ainda ali, segurando o volante, cabeça baixa. Ela caminhou de volta ao carro, enfiou a cabeça para dentro e disse:

— Cabot, você não foi o pior marido do mundo. Foi bom. Boa parte foi boa. Mas percebi que terminou e precisei me afastar. Sinto muito.

Foi assim que aconteceu e não tem como consertar. Então, vou entrar e me arrumar para o meu encontro, e você vai voltar para Little Rock, entrar no avião e ir para casa. Tudo bem?

— Você tem um encontro? — perguntou ele.

— Sim.

— Com quem?

— Cabot, você não conhece ninguém aqui. Que importância isso tem?

— Pelo menos diga o nome dele e eu irei embora. Prometo que irei.

— O nome dele é Cullen. Ele é bacana. Você ia gostar dele. Por favor, vá.

Com isso, Cabot Searcy deu a partida no carro alugado e logo desapareceu da vista de Alma. Seria a última vez que Alma Ember veria o marido. Fazendo a volta, Cabot Searcy começou a pensar em sua vida até aquele momento. Pensou nas muitas namoradas que tivera no ensino médio. Nas noites de sexo das quais se gabava para os amigos. Nos encontros casuais. Pensou na faculdade. Nos primeiros meses, nos quais tinha a sensação de ser o dono do mundo. Pensou em Benton Sage e em suas palavras sinceras. Em sua sugestão para que Cabot mudasse de comportamento antes que estragasse tudo. Lembrou-se de ter guardado as coisas de Benton. De ter lido o diário dele. De ter encontrado anotações nas margens de livros na biblioteca da escola. Parou no estacionamento de um mercado. Entrou. Observou o espaço amplo à procura de alguém que parecesse útil. Andando pelos corredores, Cabot pegou um pacote de chiclete, jogou em cima do caixa mais próximo, tamborilou os dedos no balcão. Ao sair, parou e viu um atendente alto de cabelos curtos e perguntou seu nome.

— Neil — disse ele.

— Certo, Neil. Olha só. Você conhece um cara chamado Cullen? — perguntou Cabot.

— Sim, Cullen Witter.

— É mesmo? É seu amigo?

— Estudou comigo. Mas ele é um ano mais novo — explicou Neil.

— Ah — respondeu Cabot. — Preciso falar com ele.

— E aí?

— Bom, Neil, se eu te der dez dólares, você me passa o endereço dele? — perguntou Cabot, pegando a carteira.

— Acho que sim. Acho que ele mora perto da rua Oito, na rua de cascalhos — falou Neil, distraído.

— Rua Oito? — repetiu Cabot, como quem diz "não sei andar por aqui".

— Isso — disse Neil.

— Neil, você me ajudou demais — disse Cabot, colocando a nota de dez dólares na mão do rapaz.

Cabot caminhou em direção ao carro e, depois de passar por duas pessoas, parou a terceira e perguntou, com o rosto tomado de confusão e inocência, como poderia encontrar a rua Oito.

— Então — a mulher começou —, continue descendo a rua Principal até chegar à rua Machen, e então vire à direita. Assim que passar pelo cruzamento, estará lá.

— A rua é asfaltada? — perguntou Cabot.

— Sim — respondeu a mulher.

— Obrigado.

No quarto da pousada, Cabot conseguiu escutar o barulho de buzinas e motores pesados do lado de fora enquanto os funcionários tiravam uma placa da saída da hospedaria e a trocavam por uma nova. Tentou pegar um mapa, mas o barulho o distraía demais. Assistiu à televisão por alguns minutos, porém ficou com dor de cabeça e decidiu parar. Pegara um *Lily Press* do mercado ao sair, então se sentou à pequena mesa da sala, acendeu a luminária e começou a ler. A história da capa era sobre Lázaro, o pica-pau. Claro, Cabot não conseguia ler o nome Lázaro sem se lembrar de sua Bíblia. Lembrou-se de quando a história de Lázaro foi contada a ele nas aulas de catecismo. Lembrou-se de ter pensado em como seria ver Jesus rolando a pedra do sepulcro de Lázaro e observar o homem morto sair, ainda vestindo as roupas do funeral. O artigo era sobre vários negócios da cidade, abordando a recente explosão no turismo ocorrida em Lily graças ao pássaro. Cabot riu quando leu sobre o Lázaro Burger e riu ainda mais quando leu que uma cabeleireira fazia cortes de cabelo de pica-pau. Mas, ainda assim, só conseguia pensar em Alma e, mais especificamente, no que ele gostaria de fazer com o idiota com quem ela sairia naquela noite. Ao longo das horas seguintes, tentou convencer a si mesmo a voar de volta para casa e acabar com tudo, mas sabia que não podia permitir que a viagem longa fosse desperdiçada. Então, arrumou as coisas, trancou a porta do quarto e desceu a rua. Seguiu as orientações dadas e logo estava dando seta para entrar na rua de cascalho.

Gabriel Witter riu quando Cullen atravessou a toda velocidade o corredor em direção a seu quarto, após ter gritado a combinação mais estranha de palavras que já ouvira. Ele as repetiu a si mesmo: "Canibalismo ornitológico", enquanto desligava a TV e abria um pequeno caderno verde cheio de páginas com letras de música. Folheou até a primeira página em branco e, depois de pegar uma caneta na mesa, fez o desenho de um pica-pau comendo um hambúrguer. Sorriu quando terminou e escutou um carro parar e uma porta bater. Olhando pela janela, viu o carro de Lucas se afastando, fazendo subir poeira por todos os lados. Olhou para o quintal e viu que a picape de trabalho do pai não estava ali, e, quando atravessou o corredor em direção à cozinha, viu que a mãe dormia no sofá da sala de estar. Em silêncio, despejou cereal em uma tigela branca e abriu a geladeira com uma expressão de "espero que isso não faça muito barulho". Depois de pegar a caixa de leite, que estava quase vazia, fechou a porta da geladeira com a mesma delicadeza com que a abrira. Virou o restante do leite na tigela de cereal e se sentou para comer. Gabriel passou os olhos pelo jornal que o pai deixara ali naquela manhã, balançando a cabeça ao ver a extensa matéria sobre o pássaro, procurando os classificados. Estava à procura de uma bateria. Não havia nada no jornal. Na pia, enxaguou o restante de cereal que havia na tigela, tomando o cuidado de não deixar nenhum resíduo nas bordas brancas, e quase se queimou com água quente ao fazer isso. Secou as mãos e pegou a caixa vazia de leite do balcão. Vários itens já descartados anteriormente caíram no chão quando ele abriu a lata de lixo. Ele os pegou, tirou a tampa da lata e puxou o saco de lixo com esforço, tentando não fazer muito barulho. Depois de finalmente colocar a caixa no saco, amarrou as pontas e abriu a porta dos fundos em silêncio. Jogou o saco dentro da lata verde e grande, recostando-a no lado direito da casa, deitou-a e, então, começou a descer a rua longa e cheia de cascalho.

Cabot desceu a rua lentamente e, após passar por duas casas à direita, percebeu que se esquecera de perguntar ao menino do mercado qual era a casa de Cullen Witter. Mas seguiu em frente, esperando que veria um nome na caixa de correio ou perto da porta de entrada. Quando deu a volta, viu o que parecia ser um adolescente puxando uma lata grande de lixo na rua. Entrou discretamente no caminho e esperou que o menino, que usava uma camiseta preta desbotada, chegasse mais perto. Quando ele se aproximou, o garoto apertou os olhos e ergueu a mão livre para bloquear o sol. Ele colocou a lata no chão e começou a falar.

— Está procurando alguém? — indagou o jovem, educadamente.

— Witter? — perguntou Cabot, nervoso.

— Sim? — respondeu o garoto, olhando ao redor.

— Hum... pode me ajudar com uma coisa? — perguntou Cabot, esforçando-se para pensar em um plano.

— Claro — respondeu Gabriel, caminhando até o lado do motorista.

— Tudo bem — disse Cabot, abrindo a porta para sair.

— Você perdeu alguma coisa? — perguntou o garoto.

— Acho que sim. Não sei. Talvez — falou Cabot, olhando para o carro atrás dele.

— Bem, precisa usar o telefone?

Em silêncio, Cabot enfiou a mão dentro da janela do carro e no banco de trás, onde pegou uma lanterna com quatro pilhas. Segurou-a contra o peito e ficou de pé diante do garoto, com suor escorrendo pela testa. O rapaz, ainda apertando os olhos por causa do sol, olhou para a lanterna, confuso, e, quando olhou para baixo, na direção de onde o homem estava vindo, Cabot se lançou em cima dele, empunhando o metal e o vidro, acertando o garoto bem na lateral da cabeça. O menino caiu no chão. Cabot imediatamente olhou ao redor. O bairro parecia mais silencioso e vazio que qualquer outro lugar onde estivera em toda a sua vida. O garoto não se mexeu. Cabot jogou a lanterna dentro do carro, deu a volta por trás e abriu o porta-malas. Pegou o garoto, esforçando-se para levantá-lo o suficiente para colocá-lo dentro do veículo, e o deitou com o máximo de cuidado que conseguiu. Olhou para o garoto inconsciente e sussurrou:

— Seu encontro foi cancelado, Cullen Witter. — Fechou o porta--malas, entrou no carro e dirigiu devagar de volta à cidade.

Permaneceu por alguns minutos sentado no estacionamento de uma pequena loja de conveniência perto da estrada interestadual, tentando pensar no passo seguinte. Olhou com nervosismo pelo retrovisor, e não viu nada além de carros passando a esmo e o interior da loja. Ficou atento, esperando o garoto se remexer e começar a gritar pedindo ajuda. Mas nada aconteceu. Não ouviu nem um som. Apenas sua respiração trêmula. Seu coração ansioso. Decidiu, depois de pensar nas opções, que um desmaio não bastaria para assustar Cullen Witter e fazer com que ele deixasse Alma Ember em paz. Ele precisava causar impacto. Mostrar ao rapaz o tamanho do problema no qual tinha se envolvido. Com isso, Cabot Searcy acessou a estrada e foi até Little Rock, com o rádio ligado, tamborilando os dedos e movendo os lábios.

Quando recobrou a consciência, Gabriel Witter se viu na escuridão total. Tentou se sentar, mas bateu a cabeça em algo de metal e duro. Ao redor, ouviu som de movimento e, ao segurar o lado de sua cabeça, pensou ter ouvido música vinda de algum ponto próximo. Demorou alguns minutos para se acostumar à escuridão, e, quando seus olhos se fixaram no brilho vermelho dos cantos da jaula, percebeu onde estava. Nesse breve momento, Gabriel pensou que ficar trancado no porta-malas de um carro nunca acontecia na vida real, e que era muito diferente do que ele sempre imaginara em suas brincadeiras de polícia e ladrão. Pensou em gritar, entretanto sabia que isso só causaria mais problemas. Lembrou-se do homem diante dele. Atacando-o. Golpeando-o. Ficou totalmente confuso acerca do motivo, mas não teve inocência suficiente nem por um minuto para começar a criar planos inteligentes para escapar. Com o corpo molhado de suor, Gabriel tentou o que pôde para não se mexer, esperando que isso aliviaria a dor em sua cabeça.

O movimento parou naquele instante, e ele escutou o som metálico da porta do veículo sendo aberta. Os passos eram quase altos demais para contar, como se estivessem ecoando de todos os pontos a seu redor. Quando a luz de repente brilhou dentro do carro, Gabriel endireitou-se como uma pessoa faria no meio de um pesadelo. Olhou para cima e viu seu captor diante dele, teto e paredes de concreto atrás dele, luzes fluorescentes dos dois lados.

— Consegue ficar de pé? — perguntou o homem, puxando Gabriel do porta-malas.

— Sim, acho que sim — disse Gabriel, recostando-se em um dos lados do carro.

— Você provavelmente já sabe quem eu sou — falou o homem.

— Não faço a menor ideia — replicou Gabriel, esfregando a lateral da cabeça.

— Você conhece Alma, não conhece?

— Ember? — perguntou Gabriel, olhando em volta, para o estacionamento vazio.

— Searcy. O sobrenome dela é Searcy — disse Cabot, com seriedade.

— Ah. Nós íamos à igreja juntos. Ela era Ember da última vez em que a vi.

— Você deve achar que eu sou algum idiota, não é? — Cabot ergueu levemente a voz.

— Não sei nada a seu respeito, exceto que você tem uma lanterna bem grande — respondeu Gabriel.

— Cullen, este não é o seu dia de sorte.

— Cullen? — perguntou Gabriel.

— Sim, sei quem você é — disse Cabot, quase sorrindo.

— Sou Gabriel. Gabriel Witter.

— Para com isso, cara.

— É sério.

— Sério? — questionou Cabot, com o rosto vermelho.

— Cullen é meu irmão mais velho.

— Merda! — disse Cabot.

— Estou confuso.

— Merda! Merda! Merda!

— Você vai me levar de volta para casa agora?

— Merda! Merda! Merda! Não acredito! Não acredito! — Cabot balançou a cabeça.

— Olha, está na cara que você está com problemas, então, se quiser me levar para casa, vamos esquecer tudo isso. Tudo bem? — perguntou Gabriel.

— Merda! Sou um maldito sequestrador agora! Quantos anos você tem?

— Quinze. Mas me solte. Não importa. É só me soltar.

— E aí você vai contar a alguém e, de repente, vou virar notícia, e eles vão me encontrar, me algemar e me levar para a cadeia. Ah, Deus! Não acredito nisso!

— Olha, eu nem sei o seu nome, ok? Então, por que não entra no carro, vai embora e pronto? — Gabriel pediu.

— Isso seria fácil demais. Tem alguma coisa nisso. Você vai me entregar. Eu entregaria. Afinal, quem não ia querer que o cara que o prendeu em um porta-malas depois de agredi-lo não fosse preso? Que loucura! Merda!

— Entre no carro e vá embora — insistiu Gabriel.

— Preciso que você volte para o porta-malas — disse Cabot, com uma calma surpreendente.

— Não.

— Faça isso agora — ordenou Cabot, dando um passo à frente.

— Deixe-me ir embora. É tão fácil. É só me soltar.

— Não posso. Entre. — Cabot levantou a mesma lanterna que usara antes, e seu rosto ficou pálido. Gabriel não soube ao certo se já tinha visto aquela expressão na vida. Tonto pelo primeiro golpe, e sabendo que provavelmente acabaria caindo de cara no chão se tentasse correr, Gabriel seguiu as ordens de Cabot.

Quando fechou o porta-malas na cara de Gabriel pela segunda vez, Cabot percebeu o desenho em sua camisa. Era uma figura branca, um homem, com asas compridas atrás dele. Estava esticando um braço acima da cabeça, em direção ao céu. Sentado no banco do motorista, Cabot segurou o volante e encostou a testa nele. Pensou em fazer o que o garoto dizia, achando que talvez ele estivesse dizendo a verdade. Talvez não contasse a ninguém. E, se contasse, talvez realmente não soubesse seu nome. Mas ele sabia que o garoto juntaria as peças. Desvendaria tudo. Em pouco tempo Cabot não estaria mudando o mundo, mas, sim, sozinho em uma cela com um sanduíche de carne e um vaso sanitário sem tampa. Ele não podia permitir que isso acontecesse. Deu partida no carro. Pensou na camisa do menino. A figura branca com asas. Pensou no nome do menino. Gabriel, a Mão Esquerda de Deus. Saindo do estacionamento, Cabot Searcy começou a unir o quebra-cabeça que sua vida se tornara nos últimos quatro anos. O suicídio de Benton, o Livro de Enoque, os Vigilantes, a visão de Deus, Gabriel e o pássaro. As horas passadas estudando os anjos caídos, os Grigori. O tempo passado teorizando e discutindo o fato de Deus ter reprimido a grandeza do potencial humano. Tudo o que havia, de um jeito ou de outro, o levara a uma cidade no meio do nada, onde, como parecia, as coisas ressuscitavam dos mortos, erros podiam ser corrigidos, vidas poderiam ser recomeçadas. Quando parou em um farol vermelho ao dobrar a esquina, Cabot Searcy percebeu qual seria seu destino.

Capítulo 19

UMA viagem EXTRAVAGANTE

Decidi que Lucas Cader era meu herói por ter agredido John Barling, ainda que, na verdade, ele fosse apenas um cara triste à procura de fama e fortuna. Além disso, Barling levara todas aquelas bobagens à cidade, bobagens essas que eu sentia serem desnecessárias e das quais não me esqueceria tão cedo. A julgar por seu ferimento de batalha, acho que Lucas também não se esqueceria. Mena me disse, certa noite, depois de tudo, que Lucas precisou ser tirado do palco e teve sorte de não ter sido processado por agressão. Não consegui acreditar. Sei lá, Lucas Cader batendo no cara do pássaro. Era quase tão louco quanto ser um caçador de pássaros na cidade, para começo de conversa.

— Sua camisa é legal — Mena me disse quando nós três fomos ao Burke's, certa tarde.

— É do Gabriel. Andei roubando umas roupas do armário dele — declarei.

— Ah, eu sabia que você não era tão estiloso — ela brincou, me dando um soquinho no braço.

— Sou mais legal que o seu namorado machucado — respondi.

— E aí, idiota, que... — disse Lucas, dando um tapa em meu braço com as costas da mão.

— Não comece a me bater, Capitão Ahab, só estou brincando — eu disse, rindo.

Por algum motivo, o Sr. Burke, que, claro, era dono da Burke's Burger Box, pensou que, como meu irmão havia desaparecido, podia me ajudar dando hambúrgueres de graça. Então, e foi apenas a segunda vez, ele se aproximou de nossa mesa, reclinou-se e sussurrou que não pagaríamos a conta. Agradecemos a ele, não fizemos perguntas e rolei os olhos para Lucas e Mena quando ele se afastou. O que percebi naquele verão foi que as pessoas, em geral, não fazem ideia de como reagir a situações estranhas como aquela na qual minha família estava. As pessoas simplesmente não pareciam saber como ajudar ou o que dizer, ou até o que não dizer. Tentavam nos dar coisas, oferecer conselhos e colocar livros diferentes em nossa caixa de correspondência. E também havia aqueles que nos evitavam. Eram as pessoas que mais me incomodavam. Eram aquelas que, assim que entrávamos em algum lugar, se esforçavam para não olhar para nós; que se escondiam atrás de um corredor de alimentos ou fingiam não nos notar. Eu não conseguia entender como aquelas pessoas justificavam evitar não apenas a mim, mas a família toda. Minha mãe dizia que as pessoas não gostavam da situação desconfortável de falar conosco. Eu dizia que isso era bobagem. As pessoas não gostavam de ter que pensar em algo inteligente, útil ou sensível a dizer, e não eram inteligentes o bastante para perceber que nós só queríamos, que *eu* só queria ser tratado como fora três meses antes. Queria ser ignorado por causa de minhas excentricidades, não por causa de meu irmão. E queria receber ajuda das pessoas porque elas se importavam comigo, não porque se sentiam obrigadas a me ajudar. Queria que o mundo se sentasse, prestasse atenção e me deixasse explicar que, quando alguém está se sentindo triste ou desesperançado, a última coisa que precisa sentir é que é a única pessoa no mundo se sentindo assim. Então, se sente pena de alguém, não finja estar feliz. Não finja se importar apenas com os problemas dele. As pessoas não são idiotas. Pelo menos, não todas. Se o irmão mais novo de alguém desaparece, não lhe dê um hambúrguer de graça para que ele se sinta bem — não funciona. É um bom hambúrguer, claro, porém não quer dizer nada. Diz alguma coisa apenas para os Srs. Burkes do mundo. Mas as pessoas fazem essas coisas. Fizeram o verão todo. Ofereciam refeições gratuitas, hospedagem gratuita em hotéis da Flórida e até serviços de encanamento gratuitos. E nós deixávamos. Deixávamos porque *elas* precisavam disso, não nós. Não deixávamos que elas nos ajudassem porque precisávamos, mas porque existe uma coisa nos seres humanos, uma necessidade inominada de se sentir útil. De sentir que temos algo significativo com que contribuir. Então, senhoras, façam seus ensopados e os coloquem na porta de casa. E, senhores, assem seus hambúrgueres e entreguem-nos aos adolescentes com visões hipócritas do mundo. O mundo não pode ser satisfeito, porém essa necessidade de consertar tudo pode.

Título de livro número 87: *Sozinho no mundo com esse sentimento.*

O Dr. Webb diz que, se Lucas Cader não tivesse conhecido minha família, poderia ter vivido a mesma vida desordenada na qual viviam seu pai e seu irmão. E eu pensei exatamente nisso, certa noite, enquanto Lucas e eu jogávamos basquete no escuro, do lado de fora da minha garagem. Pensei em como eu era péssimo em basquete e em como Lucas Cader parecia acostumado a ignorar isso e continuar jogando comigo.

— Decidi que provavelmente vou me casar com Mena — disse ele, fazendo um lançamento.

— É mesmo? — perguntei.

— Parece adequado, você não acha?

— Na verdade, acho, sim — respondi, pegando a bola da grama.

— E você, Cullen, vai ser o padrinho, claro. — Ele riu.

— Mas é claro que sim — respondi.

— E, quando tivermos filhos, bem, você sabe quem será o padrinho — falou Lucas, me driblando.

— Bom, pode ser o Cullen Witter? — perguntei, apontando para mim.

— Não. Gabriel é mais responsável que você. Mas tenho certeza de que ele vai deixar você ajudar — disse Lucas, lançando a bola.

Fiquei parado em silêncio. Com tamanha confiança e sem qualquer desconforto, Lucas mencionara meu irmão como se ele estivesse, simplesmente, dentro de casa ouvindo música, assistindo à televisão ou compondo. Eu me sentei no chão e me apoiei nas duas mãos, olhando para o céu. E, apesar de não haver nenhuma estrela à vista, sorri. Sorri e imaginei meu irmão segurando um bebê no colo. Cantando uma canção infantil. Dançando como um bobo.

Na manhã seguinte, sentindo-me um pouco culpado por ter expulsado Lucas de nossa casa e, assim, feito com que ele abordasse um ornitólogo para provar sua lealdade à nossa família, sugeri que descêssemos ao rio White e pegássemos um dos famosos barcos Lázaro de Merle.

— Está brincando? — perguntou Lucas, desviando o olhar da tigela de cereal.

— Não estou, não. Vamos, vai ser divertido — falei, inclinando-me para calçar meus sapatos.

— Isso é algum truque? Vai jogar meu corpo no rio, Cullen? — perguntou ele, em tom de brincadeira.

— Sim. Mas não hoje. Hoje vamos nos unir ao famoso guia turístico Merle Hodge em uma viagem extravagante pelas águas do Arkansas para procurar o famoso pica-pau Lázaro. — Levantei as mãos de modo dramático enquanto falava.

— Bom, vai ser interessante ver o que um pescador revela sobre um pica-pau que ninguém vê há sessenta anos — respondeu Lucas.

— Não vai? — Eu me levantei da cadeira e segui em direção à porta.

Eis o motivo pelo qual Merle Hodge tornara-se o único funcionário do Famoso Passeio de Barco Lázaro: ele era o proprietário e único funcionário do Famoso Barco de Pesca Merle. Até o Serviço de Pesca e Vida Selvagem dos Estados Unidos declarar que a área toda ao redor de Lily se tornaria parte do Refúgio Nacional de Vida Selvagem do rio Cache. Ao fazer isso, caçadores e pescadores de todas as partes tinham perdido a terra e a água que procuravam e na qual acampavam e destruído parte de suas vidas. Isso talvez tenha causado a maior revolta pública contra o pica-pau Lázaro, com matérias sendo publicadas no jornal todas as semanas para criticar John Barling e seu bando de amigos observadores de pássaros. Houve até boatos de reuniões secretas de um grupo chamado Odiadores de Pássaros Unidos. Eu pensara seriamente em participar de uma delas.

Acontece que um passeio de luxo, *all inclusive*, pelo Refúgio custa vinte e cinco dólares por pessoa e dura menos de três horas. Cada um de nós partiu em um caiaque, com roupas camufladas e acolchoadas.

Quando alguém está em um passeio de barco há uma hora e quinze minutos e percebe que sabe tanto, se não mais, a respeito da área quanto seu guia turístico, ele começa a olhar para a água clara e fria e concentra a atenção na maneira como o sol do meio-dia está se refletindo no fundo do rio. Então, quando escuta Merle Hodge dizer alguma bobagem sobre o pica-pau Lázaro e cometer quatro ou cinco erros gramaticais, imagina Gabriel Witter ao lado dele, batendo o remo no caiaque do irmão mais velho, lançando um olhar do tipo "não ria desse pobre-coitado". Aí, quando estica a mão para puxar o irmão mais novo mais para perto, para ver se ele é real, imagina uma sombra escura cobrindo-os totalmente. Olha para o alto para ver, lá no céu e bloqueando o sol por completo, o pica-pau Lázaro há muito perdido, com as asas abertas e o bico voltado para cima, quase bicando o azul celestial. Volta a olhar para baixo e vê que o irmão não está mais ali. Não está mais ali para impedir que ele ridicularize Merle Hodge ou faça algum comentário sabichão sobre pica-paus. Não o impede quando ele pensa em fazer ao guia turístico uma pergunta impossível de ser respondida ou quando pensa em fingir ter visto um pássaro grande a distância. Ele não está mais ali para dar a Cullen Witter chances sem-fim de se sair melhor.

— Você acha que eles o encontrarão? — perguntei a Lucas enquanto dirigíamos para casa naquela noite.

— Sei que encontrarão — disse Lucas, com confiança.

— Está falando sério quando diz isso? Você *acredita* mesmo nisso, não é?

— Acredito, sim, Cullen — disse Lucas, de modo direto, com o olhar na estrada à frente.

Título de livro número 88: *Uma canção infantil.*

Capítulo 20 O GAROTO QUE causava SILÊNCIO

Mais ou menos duas semanas depois de ter sido enfiado em um porta-malas, Gabriel Witter estava sentado à beira de uma cama confortável, com uma colcha de retalhos marrom e laranja sobre os ombros. Murmurava algumas canções que nunca ouvira antes de ser raptado e ficou tentando imaginar se era mesmo a reencarnação do anjo Gabriel, o que Cabot Searcy afirmara ser a verdade. Divertiu-se com a ideia de ser qualquer coisa além de um adolescente muito curioso. Quando a porta do quarto vazio foi aberta, ele se levantou com uma expressão de animação.

— Volte a se sentar — disse Cabot Searcy, bloqueando a passagem.

Cerca de uma vez por dia, desde que eles tinham chegado aonde quer que estivessem, Cabot entrava no quarto pequeno e sem janelas de Gabriel, sentava-se em uma cadeira de madeira à frente dele, olhava-o com ansiedade e hesitação e fazia perguntas estranhas, como: "Como é o céu?" e "Estou fazendo tudo certo?". Gabriel raramente respondia a essas perguntas, e, em geral, olhava para seu sequestrador sem qualquer expressão no rosto ou pedia, com educação, para ser libertado. Cabot Searcy nunca chegou perto o suficiente para tocar Gabriel. Nunca levava nada para o quarto, como uma lanterna ou uma arma. Apenas entrava em silêncio, sentava-se e começava a compartilhar suas ideias malucas.

Três semanas após sua chegada, Gabriel perguntou a Cabot onde eles estavam. Cabot ficou de pé, empurrou a cadeira contra a parede, virou-se para sair e disse apenas:

— Estamos em um quarto.

Gabriel não era o tipo de garoto que acreditava que só precisava gritar, socar as paredes ou pular sem parar para chamar a atenção de alguém de fora. Não era tão tolo a ponto de pensar que o resgate seria uma tarefa simples. Em vez disso, permanecia sentado em silêncio. Pensava em seus amigos. Libby Truett, a menina a quem amava. Lucas Cader, a única pessoa capaz de vencê-lo no Banco Imobiliário. Imaginava a mãe chorando no salão de cabeleireiro, enrolando lentamente os cabelos de uma mulher. Via o pai espalhando cartazes com uma foto feia dele na frente e uma recompensa ínfima oferecida abaixo. E, quando pensou em Cullen, começou a ficar chateado pela primeira vez desde que chegara ali. Sabia como o irmão era. Sempre pensava em todas as coisinhas. Sempre pegando uma frase dita por alguém e dissecando-a até que não houvesse mais sentido. Ele sabia que o irmão estaria em seu quarto, não mexendo em suas coisas, mas observando-as. Sabia que ele se sentiria desesperançado. Sozinho. Sabia que Cullen Witter culparia a si mesmo sem nem mesmo saber o que acontecera.

— Já faz cinco semanas — disse Gabriel quando Cabot Searcy entregou a ele um prato de papelão com um sanduíche de queijo e presunto.

— E um dia — completou Cabot, sentando-se em uma cadeira.

— Então — Gabriel começou, dando uma mordida no lanche —, se eu sou um anjo, o que me impede de sair voando daqui?

— Acho que não é assim que funciona — disse Cabot.

— Olha, não faz sentido. Afinal, se eu tivesse todos esses poderes, com certeza eu os estaria usando para alguma coisa. Pelo menos para colocar uma televisão aqui dentro.

No dia seguinte, Cabot Searcy trouxe uma TV pequena, preta e prateada, colocou-a no chão, no canto mais afastado da sala, ligou-a e disse:

— Pronto.

Em seguida, saiu e trancou a porta por fora. Gabriel quase se jogou no chão e, atravessando o quarto até a TV, pensou que começaria a chorar. Apertou o botão de ligar e viu uma tela repleta de linhas trêmulas pretas e brancas. Tentou mudar de canal. Nada aconteceu. Olhou atrás da TV e viu que ela estava apenas ligada à tomada. Não havia antena. Nem canais. Mas ele a deixou ligada, aumentou o volume o máximo possível e sentou-se ali, no meio do quarto, deixando o som de um milhão de moscas envolvê-lo, de aviões decolando, de carros colidindo, de papel sendo amassado, passando por um túnel, tomando a sala. Mantinha um dos ouvidos fechado com uma mão e, soltando, tampava o outro. Fez isso por um tempo, criando sons diferentes na cacofonia que o envolvia. Cabot Searcy entrou no quarto, desligou a televisão e olhou para Gabriel no chão.

— O que é isso? — perguntou ele.

— Não tem antena — disse Gabriel, sem se levantar.

— Estou cuidando disso, está bem? — declarou Cabot, saindo e batendo a porta.

— Ele está cuidando disso — Gabriel sussurrou para si mesmo, deitando-se de costas e olhando para o teto para ver a brancura familiar salpicada com pontinhos dourados.

Seis semanas e quatro dias depois de ter sido confundido com seu irmão, Gabriel estava deitado na cama, zapeando os canais da televisão.

Cabot Searcy havia, no alto de sua esperteza, passado um cabo de antena por baixo da porta de alguma sala do lado de fora e o prendera à parte de trás do aparelho. Após fazer isso, pegara uma toalha ou algo do tipo e a passara por baixo da abertura na porta. Gabriel Witter, que não conseguia dormir na escuridão total, finalmente começara a descansar desde a chegada da TV. Sintonizou em um canal de notícias e esperou que seu nome fosse mencionado. Como já notara na semana anterior, ninguém falava dele. Mas conseguiu descobrir que estava em algum lugar da Geórgia, porque, sem querer, sintonizara em uma emissora de notícias de Atlanta. Sabia que não tinha como saber ao certo se estava na cidade ou em algum lugar fora dela. Durante horas, pensou em maneiras de escapar, desde fingir estar muito doente a se esconder atrás da porta com a televisão para jogá-la na cabeça de Cabot. No entanto, ele sabia que nada seria como nos filmes. Não teria coragem de machucar Cabot o suficiente para chegar tão longe. E sabia que Cabot voltaria, e, da próxima vez, seria para pegá-lo.

Cabot Searcy entrou no quarto no dia que marcava a semana de número dez e se sentou no lugar de sempre. Sorriu para Gabriel, que estava acordando, e olhou para ele como se esperasse ouvir algo importante.

— O que foi? — perguntou Gabriel, esfregando os olhos.

— Você me diria se isso tudo fosse um teste, não é? — perguntou Cabot.

— Se o quê fosse um teste?

— O fato de eu pegar você, colocá-lo aqui e encontrar todos os livros e coisas assim. Se fosse um teste de Deus. Bem, você me diria. Não é?

— Certo. Vou dizer pela última vez. *Sou só um garoto* — disse ele lentamente, como se falasse com um idoso ou uma criança pequena.

— Sei, sei — Cabot assentiu.

— Certo. Sou Gabriel. Sou a mão direita de Deus — afirmou Gabriel.

— Mão esquerda, você quis dizer — Cabot o corrigiu.

— Tanto faz. Isso. E agora? — perguntou Gabriel.

— Bem, estou pensando bastante nisso — falou Cabot.

— E?

— E me parece que, para que as coisas voltem a ser como devem ser, você tem que ir embora — disse Cabot, hesitando um pouco.

— Está dizendo que devo ir para casa? — perguntou Gabriel.

— Não exatamente a casa, mas o céu. Para ficar com Deus. Entende? — perguntou Cabot.

— Certo — assentiu Gabriel, olhando para o chão. — Vamos recapitular, se não se incomoda.

— Claro.

— Você frequentava a faculdade e seu colega de quarto se matou na noite de Natal.

— Certo.

— E você encontrou um verso no diário dele que o levou a uma Bíblia antiga na biblioteca da escola.

— Enoque. Isso.

— E então você leu as anotações do cara, leu o livro e decidiu que Gabriel...

— Você! — Cabot se intrometeu.

— Se *eu* não tivesse seguido as ordens de Deus de impedir que aqueles anjos caídos vivessem com os seres humanos, então as pessoas, nós, todo mundo teria aprendido a ser tão esperto e poderoso como o próprio Deus?

— Bingo! — disse Cabot.

— Então você acha mesmo que aqueles anjos eram inteligentes a esse ponto?

— Inteligentes, mas mal compreendidos. Eles queriam nos ajudar aqui. E você os impediu de fazer isso.

— Mas foi o que Deus me mandou fazer — falou Gabriel, entrando no jogo.

— Mas Deus agora disse para *eu* fazer *isso*. Ele me orientou a fazer todas essas coisas. Ele me levou àquela faculdade, a Benton Sage e a encontrar os livros. Ele me levou a Savannah para que eu me casasse com Alma e então me levou para Lily, onde eu, por acidente, peguei você. Mas não foi um acidente. É assim que tudo tinha que acontecer. É incrível como tudo se encaixa, não é?

Gabriel olhou para Cabot Searcy e, por um momento, pensou nas muitas coisas que poderia dizer a ele para acabar com suas ilusões. Pensou em usar frases da Bíblia, porém mudou de ideia. Pensou em, mais uma vez, negar sua divindade, mas não o fez. Sentiu vontade de chamar Cabot de maluco. Mal-informado. Confuso. Queria gritar que Deus jamais orientaria um homem a tirar um garoto de sua família. Mas não o fez. Em vez disso, Gabriel Witter ficou de pé, ergueu as duas mãos e começou a gritar do modo mais convincente e sincero que conseguiu.

— Ó Deus, faça comigo o que quiser!

Com isso, Cabot Searcy levantou-se, atravessou a porta e a trancou. Gabriel escutou batidas no outro quarto. Ouviu dois gritos breves, como se duas pessoas estivessem discutindo, ou uma pessoa estivesse discutindo consigo mesma. Encostou a orelha na porta com a respiração pesada e profunda, os olhos fechados. Escutou palavras como "merda" e "inferno" e "ajude-me". Ouviu o barulho de portas de armário batendo, o bater de pés no chão de lajotas e o girar do ventilador de teto. Gabriel escutou quando Cabot Searcy gritou:

— Eu pequei! Eu pequei! Ajude-me, Senhor! Eu pequei!

Ouvindo passos rápidos em sua direção, Gabriel se jogou na cama e não tirou os olhos da porta. Ela se abriu, bateu na parede, voltou um pouco, e Cabot se aproximou da cama. Olhou para baixo. Estava respirando, ofegante. O rosto estava molhado, e Gabriel imaginou serem lágrimas. Cabot se ajoelhou. Ergueu uma mão e a colocou no ombro de Gabriel. Fechando os olhos, começou a falar:

— Gabriel, preciso que você me diga a verdade. Confio que Deus me dirá a verdade por meio de sua voz. Então, me diga. Diga o que devo fazer.

— Não sei o que você deve fazer — disse Gabriel, do modo mais calmo que conseguiu. — Você não percebe?

— Você tem que me dizer! — Cabot se alterou, começando a gritar. — Não consigo respirar. Não consigo pensar. Isso deveria ser mais fácil. Alma, Cullen e Savannah. Está tudo ligado. Tem que estar. Não faz sentido. Benton se matou por isso! Ele simplesmente se foi! De repente! Simplesmente desistiu! Foi difícil demais! Mas eu entendo, certo? Eu consegui, certo? Eu sou o escolhido! Sou o escolhido para terminar o serviço. Sou a pessoa que consertará as coisas!

— Onde está sua família? — perguntou Gabriel, sentando-se na cama.

— O quê? — Cabot chorava, e as lágrimas escorriam por seu rosto.

— Sua família. Onde eles estão? Eles sabem quem você é? Eles sabem que você é importante? — perguntou Gabriel, começando a se levantar.

— Cale-se! Pare de me distrair!

Cabot levou as mãos às laterais do rosto, irado. Parecia estar tentando afastar os pensamentos. Gabriel ficou de pé. Apesar de ter pensado em sair correndo em direção à porta, caiu de joelhos, uniu as mãos e começou a rezar.

— Senhor, ajude este homem a encontrar seu caminho sem machucar a si mesmo ou outras pessoas. Ajude-o a encontrar seu coração, Senhor, o mesmo coração que me deu alimento e calor. Ajude-o, por favor. Por favor, ajude-o a parar e pensar.

— Pare, pare, PARE! — Cabot uniu as duas mãos e derrubou Gabriel para o lado. Chutou as costas e as pernas do garoto. Fungou, chorou e se abaixou para levantar Gabriel e jogá-lo para o outro lado do quarto. A cabeça de Gabriel bateu na lateral da televisão, e ele caiu imóvel e estatelado no chão.

— Você deveria ter me dito a verdade — disse Cabot, aproximando-se lentamente do garoto.

Apesar de seu rosto estar encostado no chão, Gabriel sussurrou baixinho e de modo firme. Cabot gritou.

— O quê? Fale mais alto!

— Você não é o escolhido — afirmou Gabriel de modo mais claro, com a voz tomada pela dor.

Depois disso, Cabot Searcy sentou-se na beira da cama, olhou para Gabriel Witter e para sua cabeça ensanguentada e não disse nada. Olhou para a TV e viu que o programa de notícias estava sendo transmitido de Lily, Arkansas. Letras pequenas apareceram embaixo da imagem de um jornalista diante de um campo de futebol. Na legenda, as palavras NÃO HÁ SEGUNDA CHANCE EM LILY, ARKANSAS.

Cabot começou a rir. Riu alto e mais alto, até finalmente parar, de repente, ao olhar para o corpo imóvel no chão.

— Está na hora de dizer adeus, Gabriel — Cabot murmurou, levantou-se e desligou a TV.

Capítulo 21

O SENTIDO disso NÃO É SALVAR você

Quando vi John Barling jogando uma mala grande e marrom na parte de trás de sua caminhonete, permaneci na varanda e fiz o melhor que pude para ler os lábios dele, que murmurava algo. Não consegui entender as palavras, no entanto imaginei que fossem palavras que não se ouvem na igreja. Ele bateu a porta de trás e me cumprimentou depressa com a mão direita antes de se acomodar no banco do motorista, ligando o motor e afastando-se. Vi Fulton Dumas dar a volta pela lateral da casa gritando "ISSO!" e "CERTO!" enquanto lançava um monte de pedras em direção à estrada. Ele me viu, balançou uma mão de modo desconfortável e entrou na casa.

O pica-pau Lázaro pesa aproximadamente setecentos e cinquenta gramas, tem cerca de setenta centímetros de altura e envergadura de apenas oitenta e um centímetros. Isso faria com que ele fosse, como eu disse antes, o maior pica-pau do mundo. Isso tudo seria verdade se o pássaro existisse, mas não existia. Existiu nos anos 1940, porém não em Lily, Arkansas. Não no verão em que meu irmão desapareceu. Não na mata perto do rio White. Não na péssima fotografia de John Barling. Não nas paisagens da estrada. Não nos exames de DNA realizados pela

Sociedade Nacional de Audubon em uma pena encontrada por uma menininha e seu cão.

Em vez disso, o que deixou minha cidade toda cheia de esperança e grandes ideias foi o que um cientista descreveu no jornal como um grupo extremamente raro de pica-paus albinos de nome *Dryocopus pileatus*.

— São pássaros grandes — disse o cientista ao jornalista —, mas não tão grandes quanto o Lázaro era.

Além de ser de uma espécie completamente diferente, existe uma diferença significativa, mas estranha, na cor do pica-pau Lázaro e do outro, e este tem um bico bem mais escuro. Uma vez que o pássaro ou pássaros vistos perto de minha casa ou supostamente vistos pela cidade eram da espécie albina, o bico deles era da cor de que o do Lázaro teria sido. Isso, reforçado pela incapacidade de prender ou registrar um pássaro real e os exames negativos de DNA, tudo levava à conclusão de que minha cidade vinha vivendo uma farsa havia quase quatro meses. Se você prestasse atenção a qualquer janela em Lily na semana em que descobrimos isso, daria para ouvir o silêncio ensurdecedor da decepção.

— Um cara em uma loja me disse algo interessante hoje — alegou Lucas enquanto estávamos sentados na varanda.

— O quê? — perguntei.

— Ele me disse que o Lázaro costumava ser chamado de o Bom Pássaro de Deus.

— É? Que estranho — respondi.

— Os índios.

— O que têm os índios?

— Eles costumavam ver os pássaros sobrevoando cabeças e árvores, e a única coisa que conseguiam fazer era gritar "PÁSSARO DE DEUS!" — Lucas riu, balançando a cabeça levemente de um lado a outro, as mãos separadas para mostrar o tamanho da ave no ar.

Fiquei pensando, no banco do passageiro do carro de minha mãe, certa tarde, se um dia acabaria o silêncio que agora parecia ocupar todo o tempo de minha família. Uma estranheza surgira depois daqueles meses, onde antes havia risadas e conversas profundas, além de provocações inofensivas. Fiquei tentando imaginar se Lucas Cader realmente se casaria com Mena Prescott e se Gabriel estaria ali para segurar os filhos deles. Fiquei tentando imaginar se Russell Quitman falaria de novo e se Ada Taylor havia se condenado a uma vida de espera pelas reações dele. Foi então que percebi que não me importava.

O Dr. Webb diz que a vida é cheia de complicações e confusões, e que os seres humanos costumam ter dificuldade para enfrentá-la. Isso faz com que as pessoas se joguem na frente de trens e gastem todo o dinheiro que têm, e não conversem com seus parentes, além de nunca voltarem para casa no Natal, e nunca comerem nada que leve chocolate. A vida, segundo ele, não precisa ser tão ruim o tempo todo. Não precisamos nos sentir tão ansiosos com tudo. Podemos simplesmente viver. Podemos nos levantar, prever que o dia terá alguns momentos bons e alguns ruins, e então aceitar esse fato. Aceitar tudo e lidar com as coisas da melhor maneira. Podemos aprender a amar as Mena Prescott; podemos imaginar que os Russell Quitman são zumbis; podemos fantasiar o dia todo com as Ada Taylor; e podemos desejar sermos mais parecidos com os Lucas Cader. Podemos nos consolar com o fato de que a vida sempre será uma luta. Sempre haverá falsas esperanças. Pica-paus Lázaro. Sempre haverá John Barling para nos tirar do caminho e Oslo Fouke para nos lembrar de que talvez *estejamos* fazendo as coisas certas, afinal.

Quando perguntei a ele sobre o sentido da vida, o Dr. Webb ficou calado e me disse que a vida não tem um único sentido; que ela só tem o sentido que cada um de nós dá a ela. Posso dizer que ainda não sei o sentido da minha. E Lucas Cader, todo inteligente e talentoso, também não sabe qual é o sentido da vida dele. Mas posso dizer qual é o sentido disso tudo. O sentido de um pássaro aparecer, e de um garoto desaparecer, e você saber de tudo isso. O sentido disso não era salvar você, mas alertá-lo. Alertá-lo acerca da confusão, da ilusão e da suposição. Alertá-lo acerca da física, dos zumbis e dos fantasmas de seu irmão desaparecido. Alertá-lo a respeito de Ada Taylor e de sua compaixão, e de mães que nos acordam com aspiradores de pó. Alertá-lo a respeito de aves de setenta centímetros que afirmam poder ajudar, mas que nunca ajudam.

Quando alguém está sentado em seu quarto e, ao olhar pela janela, vê seu irmão mais novo caminhar lentamente pela estrada, ele se levanta de imediato, derruba uma pilha de revistas amontoadas a seu lado e corre porta afora, atravessando o corredor. Abre a porta da frente com tudo, bate o corpo contra a tela e, ao ouvir o *tap tap tap* atrás dele, pula os degraus da varanda e desce o caminho correndo. Para vários metros à frente do irmão. Pensa em correr, mas não corre. Suas pernas e seus braços tremem. Com o lábio inferior entre os dentes, ele caminha lenta e cuidadosamente, sem emitir um som. Para, estende um braço e toca o ombro esquerdo de Gabriel Witter com o dedo indicador. Sorri um sorriso contido.

Título de livro número 89: *Para onde as coisas voltam.*

Agradecimentos

Este romance, em todas as suas formas, não teria sido possível sem a ajuda, a inspiração e o apoio de muitas pessoas.

Sinto-me infinita e completamente grato a Ken Wright, que colocou este livro sob suas asas e conseguiu encontrar para ele o lar perfeito; Namrata Tripathi, editora extraordinária, que se apaixonou por essa história e ajudou a deixá-la melhor do que pensei que pudesse ficar; e John Meils e as pessoas da WeBook, que me salvaram da obscuridão literária.

Não haveria história para contar se não fossem meus pais, Wayne e Karen Whaley, que sempre me mostraram quem eu era: um solitário com uma queda por escrever histórias semidepressivas; meu irmão e minha irmã, Brian e Deena, pela influência que tiveram em minha infância; e meus parentes — desde tias e tios e primos e avós —, cuja vida e palavras se tornaram, sem dúvida, a vida e as palavras de muitos de meus personagens.

Também nunca me esquecerei do apoio que recebi antes, durante e muito depois de escrever este livro. A Randi Anderson, por sua habilidade com uma caneta marca-texto e outra vermelha; a Kimberly Powell, Charissa Sistrunk, Nate e Anna Nelson, Melody Harlon e

Lindsay Welsh, pela amizade e pelo apoio sem-fim; a Buddy Merritt, por suas dicas sobre a vida; Susan Roach, por me ajudar a gostar de ser do Sul; Andrew Higgins, por me aconselhar a não aceitar uma vida comum; e a Genaro Ky Ly Smith, por me ensinar a ser um escritor melhor. Também tenho imensa gratidão aos muitos professores com quem tive a honra de trabalhar e às centenas de alunos, jovens e idosos, que me ouviram contar histórias nos últimos cinco anos.

Esta história, apesar de ser totalmente fictícia, foi inspirada em uma estranha combinação da música de Sufjan Stevens com uma história ouvida na National Public Radio, uma pequena cidade de Arkansas, minha cidade natal, Springhill, Louisiana, e um pássaro que se recusava a ir embora. Agradeço muito àqueles a quem mencionei, pelos papéis que desempenharam nisso que tem sido, nos últimos cinco anos, uma obsessão e uma segunda vida que eu não esperava viver.